Desejo a você, que comprou este livro, que a mensagem por ele trazida conforte o seu coração e preencha qualquer dúvida em relação à vida eterna. Que a felicidade seja parte de sua vida todos os dias.

O LADO OCULTO DA VIDA

OSMAR BARBOSA

Pelo Espírito de Daniel

O LADO OCULTO DA VIDA

Book Espírita Editora
1ª Edição
| Rio de Janeiro | 2017 |

OSMAR BARBOSA

Pelo Espírito de Daniel

BOOK ESPÍRITA EDITORA

ISBN: 978-85-92620-19-6

Capa
Marco Mancen | www.marcomancen.com

Projeto Gráfico e Diagramação
Marco Mancen Design Studio

Ilustrações do miolo
Aline Stark

Revisão
Josias A. de Andrade

Marketing e Comercial
Michelle Santos

Pedidos de Livros e Contato Editorial
comercial@bookespirita.com.br

Copyright © 2017 by
BOOK ESPÍRITA EDITORA
Região Oceânica, Niterói, Rio de Janeiro

1ª Edição: 35.000 exemplares
Prefixo Editorial: 92620
Impresso no Brasil

Todos os direitos reservados e protegidos pela Lei 9.610, de 19/02/1998. Nenhuma parte deste livro pode ser reproduzida ou transmitida por quaisquer formas ou meios eletrônicos ou mecânicos, incluindo fotocópia, gravação, digitação, entre outros, sem permissão expressa, por escrito, dos editores.

~

*Outros livros psicografados
por Osmar Barbosa*

~

Cinco Dias no Umbral
Gitano – As Vidas do Cigano Rodrigo
O Guardião da Luz
Orai & Vigiai
Colônia Espiritual Amor & Caridade
Ondas da Vida
Joana D'Arc – O Amor Venceu
Antes que a Morte nos Separe
A Batalha dos Iluminados
Além do Ser – A História de um Suicida
500 Almas
Eu Sou Exu
Cinco Dias no Umbral – O Resgate
Entre Nossas Vidas
O Amanhã nos Pertence
O Lado Azul da Vida
Mãe, Voltei!
Depois...

Agradecimento

Agradeço, primeiramente, a Deus por ter me concedido esse dom, esse verdadeiro privilégio de servir humildemente como um mero instrumento dos planos superiores.

Agradeço a Jesus Cristo, espírito modelo, por guiar, conduzir e inspirar meus passos nessa desafiadora jornada terrena.

Agradeço a Daniel a oportunidade e por permitir que estas humildes palavras, registradas neste livro, ajudem as pessoas a refletirem sobre suas atitudes, evoluindo.

Agradeço, ainda, aos meus familiares, pela cumplicidade, compreensão e dedicação. Sem vocês ao meu lado me dando todo tipo de suporte, nada disso seria possível.

E agradeço a você, leitor, que comprou este livro e com sua colaboração nos ajudará a conseguir levar a Doutrina Espírita e todos os seus benefícios e ensinamentos para mais e mais pessoas.

Obrigado.

A todos, os meus mais sinceros agradecimentos.

Osmar Barbosa

A encarnação é tudo o que temos para nos tornarmos espíritos perfeitos. E é experimentando que chegaremos ao ápice de nossa evolução.

Osmar Barbosa

Sumário

19 | PREFÁCIO
29 | O INÍCIO
47 | REALIZANDO O SONHO
61 | ENCONTRANDO A FELICIDADE
81 | OS FILHOS
101 | A DESPEDIDA
115 | A VIDA COMO ELA É
131 | RONALDO
143 | LAÍS
161 | A VIDA ESCREVE
171 | UM DIA A MAIS
183 | O TROPEÇO
195 | O ENCONTRO COM DEUS
203 | O LADO OCULTO DA VIDA
233 | ROMA ANTIGA
239 | A REVELAÇÃO

"As almas se encontram para, juntas, seguirem rumo à evolução espiritual."

Osmar Barbosa

Prefácio

Todos nós estamos vivendo uma experiência terrena. Somos espíritos eternos, destinados à evolução. Você pode achar que isso é uma enorme bobagem, mas cabe a mim alertá-lo para os fatos que você poderá descortinar nas páginas deste livro. E que certamente encontrará quando deixar seu corpo físico, esse mesmo em que você está enjaulado neste momento lendo estas linhas.

A evolução é o destino de todos os espíritos. Somos origem de uma fonte única de amor intenso. Deus é a fonte de onde todos nós partimos um dia. E que em algum momento de nossa eterna existência voltaremos ao princípio, voltaremos ao encontro d'Ele.

Estamos no Universo há milhares de anos. Se partirmos do princípio da lei de causa e efeito, tudo aquilo que realizamos, seja bom ou ruim, é o que nos qualifica para a próxima existência. O tempo é relativo quando acreditamos na eternidade da alma. Imaginar que os espíritos que dividiram alguma experiência de amor conosco irão findar-se é o mesmo que acreditar que Deus não existe.

Se olharmos diretamente para tudo o que nos cerca, veremos que há uma força criadora em todas as coisas, sejam elas minerais, vegetais ou animais. É justo que experimentemos essas formas, só assim poderemos compreender o que mais existe neste imenso Universo.

Os universos são muitos, assim nos ensinam aqueles espíritos que já tiveram a oportunidade de aportar em universos paralelos. As colônias espirituais, hoje, são uma realidade. Na maioria das psicografias que recebemos, sejam elas por meio de livros ou até mesmo de cartinhas consoladoras, fala-se de cidades, vilas, casas, florestas, enfim, lugares para onde todos nós estamos destinados após a curta existência terrena.

André Luiz foi o espírito que nos proporcionou os primeiros relatos dessas cidades espirituais por meio da psicografia de Francisco Cândido Xavier. No livro *Nosso Lar* e em outras obras por ele psicografadas, André relata as experiências vividas nessas colônias.

Nos livros que psicografei e psicografo sempre sou transportado para cidades espirituais, e a cada experiência algo incrível acontece dentro de mim. Sou médium há aproximadamente trinta anos, mas há cerca de cinco comecei a receber os livros que psicografo. Quando perguntei por que demorou tanto tempo para os livros chegarem, os amigos do plano maior me disseram que é por merecimento tudo o que está acontecendo comigo. E disseram que é por merecimento tudo o que acontece em nossas vidas. Realmente, após os livros minha vida mudou... e muito.

Agradeço todos os dias por esta oportunidade. E assegurome de minha responsabilidade. Os laços estão mais estreitos. E isso é muito bom!

Nesta psicografia, que você recebe a seguir, pude ficar por um tempo maior ao lado de Daniel. Pude estar sentado a seu lado em seu gabinete na Colônia Espiritual Amor e Caridade. Fiquei chocado com o número de espíritos que ele atende carinhosamente todos os dias. Muitos chegam desesperados, e ele sempre os atende com muito carinho e amor; o jeito como ele atende aos espíritos foi uma grande lição para mim. Mas um desses espíritos que ele atendeu me chamou muito a atenção, foi uma menina de nome Elisa. Ela chegou com uma fisionomia cansada, sabe aquelas pessoas sofridas? Eu fiquei encucado, afinal ela já não era mais de carne e osso; estava ali na minha frente um espírito que acabara de chegar de sua última encarnação. Eu aprendi muito com ela. Acho, sinceramente, que Daniel fez isso de propósito, para me ensinar a ser mais paciente. Acho que ele fez isso para me mostrar o quanto Deus é capaz de fazer coisas para elevar Seus filhos. E agradeço muito a ele por isso.

Eu sou médium de desdobramento. O que é isso? É a capacidade que o médium tem de projetar a consciência para fora do corpo físico estando em seu próprio corpo. Eu vivo andando por colônias espirituais, às vezes até mesmo contra o meu desejo. Confesso a você que eu não pedi para ter isso. Às vezes tenho medo. E asseguro-lhe que não há nada no mundo espiritual parecido com as coisas daqui da Terra. As coisas daqui se assemelham às coisas de lá, mas as de lá são extraordinárias, fantásticas e lindas!

A sala onde Daniel e eu ficamos é ampla e muito bem decorada. Na verdade, é seu gabinete. Tudo o que vi e experimentei me modificou profundamente. Estar ao lado de espíritos de tamanha grandeza me deixa muito feliz e honrado. Ainda não compreendi bem o porquê desta aproximação. Mas um dia certamente entenderei. Eles não gostam muito de questionamentos.

Daniel é um mentor espiritual, é quem preside a Colônia Espiritual Amor e Caridade. Ele recebeu essa incumbência pelo mérito de sua evolução espiritual. Daniel se veste como frei franciscano, é baixinho, usa cabelos bem cortados, tem pele branca e sorriso gentil. Frequentou durante várias encarnações os bastidores da igreja católica, foi padre, frei franciscano e missionário. Espírito sempre fiel a Deus, ele alcançou agora sua luz própria. E que luz, diga-se de passagem!

As minhas primeiras experiências com a mediunidade foram em uma casa espírita muito simples, num bairro simples e dirigida por pessoas também simples. Na verdade, nunca me imaginei escrevendo livros. Eles vieram pela necessidade de manutenção das obras de caridade que tenho a honra de auxiliar. O período em que permaneço ao lado desses espíritos, quando estou psicografando, me faz muito bem. Eu saio de cada psicografia renovado e fortalecido, sempre pronto para encarar os meus maiores desafios. A confiança na espiritualidade é tudo. Esta é uma dica muito importante: confie naquilo que você faz. Confie na espiritualidade maior, confie em Deus. "Não estamos sozinhos neste universo de luz."

Esta é a história de Elisa, uma mulher que se propôs a viver as piores experiências na vida para alcançar a nobreza espiritual. Será que agora, quando ela chega ao mundo espiritual, tudo está cumprido? Será que após tantas provas Elisa não precisará mais voltar ao convívio desses espíritos que experimentaram com ela essa última encarnação?

Algumas vezes ficamos sem entender muito bem as coisas que nos acontecem. Ficamos desolados e tristes com as dores que vivenciamos, e na maioria das vezes estamos de pés e mãos atados, vivenciando dramas sem que nada possamos fazer.

Ensinamentos? Carma? O que é isso? Por que sofremos? Por que as coisas são tão dolorosas para uns e tão boas para outros? Por que nascem pessoas destinadas a viverem sem ouvir, sem falar, sem andar? Por que nascem pessoas destinadas a viverem eternamente dependentes de outras pessoas?

Por que surgem doenças em tenra idade? Como vivenciar uma doença terminal e lutar pela vida mesmo sabendo que um dia a vida chegará ao fim?

De onde viemos? Para onde vamos? Qual o objetivo de Deus quando nos impõe provas tão duras? Será que é Deus quem determina o sofrimento?

Uma vez ouvi de uma amiga que tinha câncer que ela jamais desistiria da vida aqui na Terra, mesmo não tendo muita certeza de que a vida continuaria após sua morte. Eu indagava a ela de onde tirava tanta coragem para lutar contra o óbvio, sim o óbvio, pois ela teve quatro tipos diferentes de câncer. Ela lutou desde menina contra o câncer e chegou mesmo a estudar medicina na esperança de vencer a doença. Sempre que vencia um, logo outro tipo aparecia. Ela me disse que o amor pela família a forçava a lutar. Disse também que tinha quase certeza da vida eterna, mas que seus pais, familiares e amigos ainda não estavam preparados para viver sem a presença física dela. Fiquei impressionado com tanto amor e tanta perseverança. Achei aquilo o máximo, pois prego isso todos os dias por onde passo. Por todos os lugares aonde vou falo para as pessoas desse Deus vivo que está dentro de cada um de nós.

Fiquei muito feliz quando ela me disse isso, pois fui eu quem a auxiliou a compreender um pouco do que se passava com ela. E fui eu também seu último amigo e guru espiritual. Eu me despedi dela num leito de hospital, nos momentos finais de sua última encarnação. Um dia, depois de tê-la beijado na face, ela partiu. Deixou um legado de luta e perseverança. Ela foi e é um exemplo para todos nós. Obrigado por você ter feito parte da minha vida nesta encarnação, viu, menina!

Assim é a vida. Assim é que aprendemos.

Por vezes somos convidados a compreender as coisas de Deus por meio da dor; outras vezes O compreenderemos pelo amor. Eu, particularmente, prefiro a segunda opção, embora já tenha enfrentado muitos desafios até os dias de hoje. E bota desafio nisso!

Mas voltemos aos momentos em que passei ao lado desse iluminado espírito. Daniel me pediu para ficar ali ao seu lado, calado, observando e anotando tudo para que um dia eu pudesse publicar este livro. Assim fiz. Hoje, olho para Elisa e tento compreender tudo o que ela viveu, e penso nas pessoas que vivem nessa angústia, que vivem tentando compreender *O Lado Oculto da Vida*.

Amigo leitor

Para melhor compreensão da obra e familiarização com os personagens, recomendamos a leitura de outros livros psicografados por Osmar Barbosa.

O Editor

O início

Outono...

Elisa é uma jovem de beleza farta: morena de cabelos castanho-claros, cacheados e despojados sobre o ombro; lábios carnudos, dentes brancos, sorriso alegre e corpo escultural. Mede aproximadamente um metro e setenta. Linda, alegre e perfeita.

Elisa está cursando o terceiro ano na faculdade de administração. Estudiosa, ela é o orgulho de sua mãe, Mirtes, que luta para dar o estudo à sua única filha.

Criada com muito sacrifício, Elisa conseguiu a tão sonhada vaga numa universidade federal. Mirtes lutou muito para que o sonho de sua única filha fosse realizado. Para manter os estudos da tão querida filha, Mirtes trabalha lavando roupas para fora e, além disso, ela tem uma pequena barraca de doces na rodoviária da pequena e pacata cidade do interior fluminense.

— Bom dia, mamãe!

— Bom dia, filha!

— Mãe, vou sair agora. Vou à casa de Ângela para finalizarmos um trabalho para a faculdade.

– Vai sim, filha! Mas antes de sair, coma alguma coisa.

– Vou comer sim. E você, o que vai fazer agora pela manhã, mamãe?

– Vou entregar as roupas da dona Jaciara, que lavei e passei.

– Você quer que eu lhe ajude?

– Ah, filha, quero sim! São três grandes bolsas, e elas estão pesadas demais.

Elisa se aproxima e abraça Mirtes.

– O dia em que eu me formar e estiver no meu primeiro emprego, você nunca mais vai precisar trabalhar assim como uma louca para manter esta casa.

– Se Deus quiser, filha! Mas você não tem que se preocupar comigo não; você precisa é arrumar um bom marido e se formar. Daí a felicidade é toda sua.

– Dona Mirtes, eu posso fazer tudo isso, mas uma coisa é certa: eu jamais deixarei que você viva longe de mim.

– Bobagens, filha, bobagens!

– Eu vou tomar um gole de café e vamos!

– Quer que eu faça um sanduíche?

– Não, mãe! Não precisa, estou sem fome.

– Ficar de barriga vazia não vai lhe fazer bem, Elisa; você vai ter a tarde inteira de aula.

– Esse horário da faculdade me mata, mãe. Não consigo um emprego pela manhã, e não posso trabalhar à noite. Não tenho como ajudar você! E sofro demais em ver você se matando para comprar as coisas para mim e para a nossa casa.

– Não se preocupe, filha! Faltam só dois anos para você se formar. Daí você vai conseguir um bom emprego e tudo ficará melhor para nós.

– Deus te ouça, mãe; Deus te ouça!

– O Fernando tem tomado conta direitinho da barraca de doces, as vendas lá não param de subir. Agora mesmo o diretor da rodoviária me cedeu uma pequena lojinha na entrada do terminal. As coisas vão melhorar, filha.

– Que bom, mamãe!

– Pois é, filha, é Deus me ajudando a criar você.

– Mãezinha, eu te amo – diz Elisa abraçando novamente Mirtes.

– Vamos, menina, vamos logo! Você vai acabar se atrasando.

– Vamos sim, mãe – diz Elisa lavando o copo em que acabara de tomar um gole de café.

Assim Elisa desce as ladeiras da pequena vila de casas onde ela e sua mãe moram. É uma casa simples, com dois quartos, sala, cozinha e um pequeno banheiro e aluguel barato. Nos fundos há uma pequena área onde fica a pequena e improvisada lavanderia de Mirtes.

Há também um enorme varal onde as roupas são estendidas.

Um pequeno cachorro vira-lata de nome Pelé toma conta do lugar. Mirtes não sai sem antes dar de beber e comer ao amigo cão.

Após entregarem as roupas lavadas e passadas na casa de Jaciara, Mirtes segue para tomar conta da barraca de doces na rodoviária. Elisa segue para o encontro com a amiga Ângela, para depois, juntas, seguirem para as aulas na faculdade.

– Tchau, mãe!

– Tchau, filha, toma cuidado na rua!

– Pode deixar, mãe. À noite nos encontramos em casa.

– Vai com Deus, filha!

– Fica com Ele, mamãe!

Elisa segue caminhando por mais seis quarteirões quando, finalmente, chega à casa de sua amiga e é recebida pela empregada da casa que a leva até a sala da luxuosa residência.

– Bom dia, dona Elma?

– Oi Elisa, entre!

– Posso entrar?

– Sim, querida, entre!

– Como tens passado, Elisa?

– Muito bem, dona Elma! E a senhora, como tem passado?

– Eu estou bem, querida; e sua mãe?

– Mamãe está ótima. Acabei de deixá-la a caminho da rodoviária.

– Ela continua com aquela barraca de doces lá na rodoviária?

– Sim, é de onde tiramos parte de nosso sustento, dona Elma.

– Sua mãe é um exemplo de mulher!

– Obrigada, dona Elma!

– Venha, minha filha, Ângela está no quarto dela.

– Com licença – diz Elisa, dirigindo-se ao quarto no segundo andar da luxuosa casa.

– Pode subir, ela está lá em cima esperando por você.

– Obrigada, dona Elma!

Ansiosa, Elisa sobe rapidamente para o encontro com sua melhor amiga.

Elisa bate à porta suavemente.

– Entre, amiga!

– Oi, querida! – diz Elisa aproximando-se e beijando a face esquerda de Ângela.

– Oi! Está tudo bem, Elisa?

– Sim, e com você?

– Tudo ótimo!

– Separei aqui alguns artigos de revistas e jornais para fazermos o trabalho que o Leônidas pediu.

– Legal, vamos fazer isso logo! Não podemos nos atrasar hoje – diz Elisa.

– Sim. Hoje nada pode dar errado. Estou louca para ir para a aula. Quero ver o Henrique!

– Isso vai acabar em casamento!

– Que nada! É só um namorico, você é que precisa arrumar logo um namorado – diz Ângela.

– Eu não penso nisso, amiga.

– Mas você é tão bonita! E além de tudo, os meninos da faculdade são loucos por você.

– Esses meninos são todos filhinhos de papai, Ângela; e eu tenho mais o que fazer, querida.

– Que bobagem, Elisa!

– Bobagem nada, o último que namorei na faculdade saiu por aí falando coisas de mim.

– Os meninos são assim, Elisa.

– Minha amiga, não quero saber de namorados. Eu preciso me formar e ajudar minha mãe. Eu venho de uma família muito pobre e não tenho tempo a perder com namoricos de faculdade. Como você sabe, somos só eu e minha mãe nessa vida.

– Opa! Desculpe-me, já não está mais aqui quem falou – diz Ângela.

– Não é isso, minha amiga. Você sabe como sofro vendo o que

minha mãe passa para poder me manter na faculdade. Os livros são muito caros e ela tem de lavar muita roupa para fora para poder me manter no estudo.

— Ah, falando nisso, eu já falei com a minha mãe e ela me disse para você pedir à sua mãe para passar aqui para acertar a lavagem das roupas aqui de casa com ela.

— Poxa, Ângela, obrigada!

— De nada, amiga. Agora vamos nos dedicar ao trabalho. Se ficarmos aqui de conversa-fiada nós não vamos conseguir preparar o trabalho.

— Com certeza.

— Venha, vamos nos sentar à escrivaninha – diz Ângela, indicando o lugar para ambas se sentarem.

— Vamos sim.

Após duas horas para a realização do trabalho, Elisa e Ângela seguem para a faculdade. E logo que chegam procuram a sala dos professores para falarem com Leônidas.

— Venha, vamos entregar o trabalho.

Ângela e Elisa seguem até a sala dos professores e são recebidas pela professora Maria.

— Boa tarde, professora Maria!

— Boa tarde, Elisa!

— Por acaso o professor Leônidas está aí?

O LADO OCULTO DA VIDA

– Ele já chegou sim, deve estar no banheiro. Sentem-se e aguardem. Logo, logo, ele volta.

– Obrigada, professora!

– De nada, meninas!

Elisa e Ângela sentam-se e ficam à espera do professor que logo se apresenta:

– Boa tarde, meninas!

– Boa tarde, professor! Aqui está o trabalho solicitado à nossa equipe – diz Ângela.

– Vocês capricharam?

– Sim, fizemos o melhor.

– Coloquem aqui na minha mesa, por favor – diz o professor sentando-se.

Ângela dirige-se à mesa dos professores, e sobre ela deposita o trabalho feito com muito carinho por ela e sua amiga.

– Espero que lhe agrade, professor – diz Elisa.

– Podem ir, meninas; eu vou analisar o trabalho de vocês com carinho.

– Obrigada – dizem ambas se retirando da sala.

Maria, que tudo observa, intervém.

– Bonita essa menina, não é, Leônidas?

– Qual delas?

— A morena.

— Elisa?

— Sim, chega a incomodar a beleza dessa menina.

— Ela é uma aluna muito dedicada – diz o mestre.

— Também pudera, ela tem uma vida muito difícil.

— É. O que você sabe da vida dela, Maria?

— A mãe dela tem uma barraca de doces na rodoviária, e acho que é de lá que ela tira o seu sustento e o da menina.

— Eu não sabia disso.

— Ela é muito pobre, olhe as roupinhas que ela usa aqui na faculdade. Parece que são roupas doadas por suas amigas mais ricas.

— Maria, você observa isso?

— Leônidas, só não vê quem não quer. Eu, se tivesse a beleza que ela tem e a juventude inteirinha pela frente, certamente não estaria vivendo nessa pobreza. Certamente eu não seria professora.

— Meu Deus, professora Maria! Ainda bem que você é professora de história. Imagina se fosse de religião!

— Leônidas, meu amigo, a vida foi feita para se viver. Uma menina linda como essa... Se eu fosse ela, já teria arrumado um marido rico e não estaria assim.

— Assim como, Maria?

— Vestida em trapos.

– Maria, o que define um bom livro é seu conteúdo e não sua capa.

– Vem você com esses ensinamentos proféticos.

Leônidas ri.

– Querida professora, vamos cuidar de educá-los e formá-los para serem bons cidadãos. Essa é a nossa função aqui.

– Você está me chamando de fofoqueira, Leônidas?

– De forma alguma, querida mestra.

– Ainda bem! – resmunga Maria.

– Se me permite, vou aplicar a minha primeira aula, com licença – diz Leônidas se levantando.

– Até logo, Leônidas!

– Tchau, Maria!

Leônidas segue para a sala de aula sorrindo por dentro, mas feliz por ter dado uma lição na professora, que cuida mais da vida dos alunos do que da própria.

As aulas acontecem normalmente, e ao término Ângela oferece uma carona para Elisa.

– Venha comigo, Elisa!

– Para onde você vai?

– Vou até a lanchonete me encontrar com o Henrique.

– Eu não acho que isso seja uma boa ideia.

– Eu pago o seu lanche, boba!

– Não é questão de grana. É que não quero atrapalhar você.

– Você nunca me atrapalha. Você é a minha melhor amiga – diz Ângela abraçando carinhosamente Elisa.

– Estou mesmo com muita fome – diz a jovem.

– Você não quis almoçar lá em casa, agora fica aí morrendo de fome.

– Não quero incomodar, amiga, é só isso.

– Venha, eu pago o seu lanche.

Elisa aceita e sente um alívio no estômago que havia muitas horas não via um alimento.

Elas finalmente estão sentadas na lanchonete deliciando-se com um enorme sanduíche.

Elisa come o sanduíche e bebe um suco natural de laranja.

Ângela acompanha a amiga no pedido.

A conversa é alegre enquanto degustam batatinhas fritas.

– Você marcou mesmo aqui com o Henrique?

– Sim, ele foi até a loja de seu pai para pegar o carro e já está vindo para cá.

– É que ele está demorando...

– Enquanto ele não chega, vamos aproveitar para comer – brinca Ângela.

– Eu não queria falar, mas eu estava passando mal de tanta fome.

– Eu percebi, boba. Quando você não quis comer lá em casa,

logo percebi que estava mentindo e que a esta hora estaria morrendo de fome mesmo.

– Isso que é amiga! – diz Elisa sorrindo.

– E o pior você não sabe...

– O que é que você escondeu de mim?

– Nada, amiga!

– Diga logo!

– Eu tinha um compromisso com o Henrique, e pedi para ele ir à frente e depois vir buscar a gente, porque eu sabia que você estava com muita fome.

– Você não fez isso!

– Fiz sim, afinal sou a sua melhor amiga!

– Você falou isso para o Henrique?

– Claro que não!

– Ainda bem! Um dia vou poder lhe retribuir tudo o que está fazendo por mim, Ângela.

– Eu não faço nada que não seja por amor e respeito a você. Eu lhe admiro muito.

– Fico até sem palavras para lhe dizer o quanto sou grata à sua amizade.

– Olha, amanhã quero que você vá à minha casa.

– Fazer o que? Eu já fui lá hoje!

– Separei algumas roupas que não uso mais e quero lhe dar.

– Não precisa, Ângela!

– É um presente meu. A mamãe também separou algumas coisas para a sua mãe.

– Obrigada, amiga!

– Olha quem está chegando!

Henrique adentra a lanchonete, tendo na mão direita a chave de seu carro. Jovem, barba por fazer, moreno, alto, cabelos bem cortados, alinhado e sorrindo, ele se aproxima das meninas e senta-se em uma cadeira à frente de Ângela.

– Oi, amor! – diz Henrique sentando-se à mesa.

– Oi, querido!

– Oi, Elisa!

– Oi, Henrique!

– Pelo visto já lancharam bastante...

– Estou quase explodindo – diz Ângela.

– E você, magrela? – diz Henrique se dirigindo a Elisa.

– Eu ainda estou comendo.

Risos.

– Então amor, vamos para o *shopping* depois que vocês acabarem de lanchar? O Paulo está ansioso para conhecer você, Elisa – diz Henrique.

Ângela cutuca o namorado por debaixo da mesa.

– Ai!!! – grita o rapaz.

– Não precisa cutucá-lo não, Ângela. Eu já entendi o que vocês querem.

– Eu não tenho nada com isso, Elisa – diz Ângela.

– Mas o que tem demais meu amigo querer conhecer você, Elisa?

– Realmente não tem nada demais seu amigo querer me conhecer. O problema é que eu não quero conhecer o seu amigo, Henrique.

– Assim fica difícil, Elisa – diz o rapaz.

– Difícil o que, Henrique? – pergunta Ângela.

– Arrumar um namorado para a sua amiga, não é, amor!

– Mas quem foi que lhe disse que a Elisa precisa de um namorado?

– Gente, vocês não estão vendo? É um desperdício essa menina linda ficar por aí sozinha – diz o rapaz.

– Pensando bem, Henrique, nós preferimos ficar aqui mesmo e sozinhas. Por favor, levante-se e saia daqui – diz Ângela com voz firme.

– Você está falando sério, amor?

– Sim, você está ofendendo Elisa.

– Deixa pra lá, Ângela! – diz Elisa.

– Não deixo não, Elisa. Henrique, por favor, saia daqui.

– Mas amor...

– Saia, por favor!

Henrique se levanta, pega o molho de chaves sobre a mesa e vai embora.

– Amiga, você ficou maluca? – pergunta Elisa.

– Eu já estava de saco cheio mesmo dele.

Risos.

Após lancharem, Ângela convida a amiga e ambas vão ao cinema para assistirem a um filme. Às dez da noite o motorista da família de Ângela vai pegá-la, e no trajeto de volta, deixa Elisa em casa.

– Obrigada, amiga – diz Elisa.

– Amanhã a gente se vê na faculdade.

– Obrigada!

– Mas antes, passa lá em casa para pegar as roupas.

– Obrigada!

– Agora suba, porque vamos ficar aqui esperando você chegar até sua casa – diz Ângela.

– Até amanhã!

– Até!

Elisa chega à sua casa e encontra sua mãe dormindo serenamente em seu quarto. Sem fazer barulho, ela toma banho e deita-se para dormir, preparando-se para um novo dia.

"Filhos são pedras preciosas que Deus nos permite lapidar."

Osmar Barbosa

Realizando o sonho

Após alguns anos, finalmente chega para Elisa e Mirtes o grande dia. Elisa se forma. Com a ajuda de amigos e principalmente de Ângela, ela está vestida com sua beca impecável. Elisa está muito feliz.

Parece que os tempos difíceis agora se findam para a mais nova administradora de empresas.

O evento, embora simples, é lindo. Tudo muito bem organizado pela equipe de formandos liderados por Ângela, que fez questão de dar esse presente à sua melhor amiga.

– Não tenho palavras para agradecer tudo o que você fez por minha filha, Ângela – diz Mirtes.

– Dona Mirtes, a senhora sabe o quanto eu amo Elisa. Ela merece tudo isso, aliás, vocês merecem tudo isso.

– Obrigada, querida Ângela.

A festa está animada, todos dançam e se divertem alegremente.

– A festa está maravilhosa não está, Elisa?

– Você soube muito bem organizar a festa.

– Você já viu quem não tira o olho de você?

— Disfarça, que eu já vi sim.

— Por que você não dá uma chance a ele, Elisa?

— Meu foco era a minha formatura, eu não queria ter nenhum compromisso com ninguém.

— Eu sei disso, mas agora você já está formada. Dê uma chance para si mesma, amiga!

— Ele é lindo, não é? – diz Elisa.

— Sim, e é apaixonado por você, segundo dizem!

— Quem sabe, não é?

— É, quem sabe você deixa de ser bobona e dá uma chance ao Ronaldo.

— É, quem sabe... – diz Elisa.

— Eu vou falar com ele.

— Não faça isso, ou eu te mato!

— Deixa de bobagens, ele é meu amigo!

— Não faça isso, por favor, Ângela!

— Está bem. Mas vê se dá uma chance ao rapaz.

— Se tiver que ser, será, amiga!

— É, mas você tem que facilitar, não é, amiga?

— Deixa comigo. Hoje realizo o meu maior sonho. Eu estou muito feliz. Minha mãe está muito feliz.

– Então vê se aproveita essa felicidade toda e dê uma chance ao Ronaldo.

– Vou dançar. Você vem, Ângela?

– Não. Depois eu vou.

Elisa levanta-se da mesa e dirige-se à pista de dança. A música é alegre e vários alunos bailam embalados pelo grupo musical que alegra o lugar.

Elisa se aproxima de Fátima, outra amiga, e juntas se divertem dançando alegremente.

Ronaldo se aproxima e dança ao lado das amigas.

O *crooner* da banda resolve então cantar uma música lenta, uma balada romântica. E gentilmente convida os casais a dançarem. Imediatamente Ronaldo se aproxima de Elisa e a convida a dançarem juntos. Elisa aceita de pronto. Começa ali o mais lindo encontro de amor vivido por Ronaldo e Elisa.

Ângela observa tudo sentada à sua mesa com um olhar afetuoso e uma enorme alegria em seu coração. Afinal, ela foi o cupido de tão lindo casal. Henrique está ao seu lado. Ela resolveu fazer as pazes com o namorado.

Elisa e Ronaldo passam a noite inteira juntinhos. Eles começam a viver um grande amor, que logo lhes trará frutos de alegrias.

Após dois anos de namoro, Ronaldo se estabelece administrando a empresa da família do pai; é quando ele decide pedir Elisa em casamento.

A festa agora é do noivado dos amigos Ronaldo e Elisa.

Ângela está muito feliz com a notícia e recebe Elisa em sua casa.

– Entra, Elisa. Nossa, como você está bonita!

– O que houve com você, Ângela?

– Como assim, Elisa?

– Você está magra, amiga... Você está doente?

– Venha, vamos entrar; conversaremos lá em cima no meu quarto.

Assustada, Elisa segue os passos de Ângela que a leva em direção ao seu quarto.

Não há ninguém em casa.

Elisa, que está extremamente preocupada com Ângela, segue auxiliando a amiga a caminhar.

Ângela senta-se à beira da cama, que ainda está desarrumada.

– Ângela, o que está acontecendo? Faz apenas dois meses que deixei de vê-la, e agora a encontro assim! O que houve, amiga?

– Senta aqui, Elisa – Ângela indica um espaço na cama ao lado dela para Elisa se sentar.

– Prometa-me que você vai ser forte!

– Você está me assustando, amiga!

– Prometa!

– Sim, prometo. Mas o que houve? O que está havendo com você?

– Estou trancada aqui neste quarto há mais ou menos três meses.

Da última vez que vi você, foi pela janela, lembra? Você veio aqui para trazer as roupas lavadas da minha mãe que até hoje sua mãe faz questão de lavar e passar.

— Minha mãe é muito grata por tudo o que sua família fez por nós.

— Desde aquele dia eu não saí mais à rua, Elisa.

— Mas o que você tem, Ângela?

— Eu tenho AIDS.

— Meu Deus! – diz Elisa, assustada.

— Não se assuste, por favor!

— Como assim, AIDS?! Como você adquiriu isso? Com quem? Como?

— Eu não sei. Descobri a doença há uns dois meses e estou em fase terminal.

Elisa começa a chorar.

— Como assim, terminal? Meu Deus!

— Infelizmente, Elisa, ainda não há cura para essa doença; existem alguns estudos, mas até agora nada de concreto.

— Meu Deus, isso não é justo!

— Eu também pensei assim, amiga.

— Você vai morrer?

— Tenho poucos dias de vida. O médico achou melhor eu ficar junto de minha família.

Elisa está com as mãos trêmulas. O convite de casamento que ela traz nas mãos começa a tremer e chama a atenção de Ângela.

– Você veio me trazer o convite do seu casamento, não é?

Elisa chora compulsivamente.

– Não chore, Elisa. Eu amo muito você para vê-la sofrer por mim.

– Isso não é justo, você é a melhor pessoa do mundo. Você me ajudou e nunca cobrou nada por isso. Você sempre esteve comigo. Todas as vezes que eu precisava, lá estava você para me ajudar. Como isso pode acontecer com você, Ângela? Como?

– Eu não me cuidei, amiga, foi só isso. Eu não me cuidei.

– Mas...

Ângela interrompe Elisa.

– Faculdade, amigos, baladas, festinhas, orgias... Tudo o que você não viveu na época da faculdade por estar focada em devolver à sua mãe tudo o que ela fez por você a poupou, com certeza, de viver o que estou vivendo agora. Um menino que conheci do terceiro ano, de nome Paulo, morreu na semana passada com a mesma doença. Quem contaminou o Paulo certamente me contaminou também. Eu acho que um menino que namorei também está com AIDS, mas ele nega. Enfim, agora não há mais o que fazer.

Carinhosamente Ângela estende a mão direita e começa a secar as lágrimas que escorrem pelo rosto de Elisa.

– Não fique assim, Elisa, por favor!

– É muito difícil para mim tudo isso, Ângela.

– Eu sei, amiga, eu sei... Me dá aqui esse lindo convite.

Ângela toma o convite em suas mãos e o abre. Ela verifica que faltam apenas quarenta dias para o casamento.

– Então você vai se casar no dia vinte e três de setembro?

– Sim, foi esse o dia que eu e o Ronaldo escolhemos.

– E ele está feliz?

– Sim, fomos feitos um para o outro.

– Então a minha flecha de cupido acertou direitinho o peito de vocês, não é?

– Você acertou em tudo a minha vida, querida amiga.

– Eu vou pedir à minha mãe para me levar ao seu casamento. Faço questão de estar presente.

– Mas eu vim aqui para lhe convidar para ser minha madrinha de casamento.

– Essa vou ficar devendo, infelizmente não tenho saúde para isso. Mas vou ao seu casamento nem que seja como defunto.

Ambas disfarçam um sorriso.

– Palhaça! – diz Elisa. – Você vai melhorar.

– Espero que sim. Tenho me tratado. Minha mãe achou um médico em São Paulo que tem feito pesquisas e grandes descobertas com essa doença. Ele trata alguns pacientes com uma medicação que ele mesmo desenvolveu. Vamos ver.

– Vai dar certo, amiga. Vai dar certo! – diz Elisa segurando as mãos de Ângela com firmeza e carinho.

– Eu queria muito que você fosse a minha madrinha de casamento.

– Não adianta insistir. Eu não tenho condições físicas para isso.

– Está bem!

– Quer comer alguma coisa?

– Não, na verdade a minha visita é uma visitinha de médico; estou distribuindo os convites e ainda faltam algumas dezenas de pessoas que preciso visitar.

– Então, vai visitar seus convidados. Prometo que estarei lá assistindo você na realização de mais um sonho.

– Eu devo toda a minha vida a você, Ângela.

– Pare de falar bobagens e vá.

– Eu te amo, amiga!

– Eu também te amo muito.

– Vou esperar você lá. Se acontecer alguma coisa com você, mande me avisar. Se precisar de mim é só me chamar. Combinado?

– Combinadíssimo – diz Ângela.

Elisa se levanta e puxa a frágil amiga para junto de si. Ela lhe abraça carinhosamente juntando todas as partes do corpo de Ângela ao seu. Ambas sentem seus corações aflitos e emocionados baterem. O pulsar é de amor, companheirismo e fraternidade.

– Você é a minha fada madrinha, Ângela. Eu preciso que você leve a sua varinha de condão para abençoar meu casamento. Não me decepcione. Eu te amo – diz Elisa se despedindo.

Emocionada, Ângela abraça fortemente Elisa e chora.

Ambas choram por alguns minutos, agarradas uma à outra.

– Quero que você saiba de uma coisa, Elisa. Deus me uniu a você, e espero sempre estar ao seu lado, física ou espiritualmente. Desde o dia em que vi aquela pobre menina vestida com farrapos eu soube que ali havia uma grande mulher. Hoje, meu sonho se realiza. Você é uma grande mulher. Se eu morrer antes do seu casamento, saiba que estarei lá na igreja com a minha varinha de condão para te abençoar. Eu te amo, amiga. Te amo muito!

– Eu também, Ângela. Você não vai morrer agora. Você não pode fazer isso comigo. Eu vou te esperar lá. Chegue linda e alegre como sempre foi.

Por alguns minutos elas permanecem abraçadas e caladas.

– Agora vá. Vá distribuir sua alegria às pessoas mais importantes da sua vida – diz Ângela se afastando e secando as lágrimas.

– Até logo, Ângela, estarei te esperando lá!

– Vai com Deus, minha amiga!

Elisa sai arrasada do encontro. Ela não entende muito bem por que saiu de perto de Ângela. Alguma coisa a afastou daquele momento de dor.

Após caminhar alguns passos e entrar em seu automóvel, ela desaba em choro. Sente dó da sua melhor amiga e fica meio atordoada sem saber o que pensar e mesmo o que fazer. Enquanto dirige, seus pensamentos estão perdidos na dor.

Elisa promete a si mesma que vai voltar para ver e ajudar Ângela no que for possível.

– Isso vai passar. Ela vai vencer – dizia Elisa ao seu coração.

"Os dias são oportunidades que recebemos do Altíssimo para vencermos e evoluirmos."

Osmar Barbosa

Encontrando a felicidade

A igreja está lotada. Ricos, pobres, fregueses da barraca de doces que se orgulham de ter ajudado Mirtes, comprando suas balas e doces. Vizinhos, amigos da faculdade, todos alegres compartilham da felicidade de Elisa e Ronaldo.

Elisa, orgulhosamente, caminha ao lado de Mirtes entrando na igreja. Juntas, elas encerram ali um período de muita luta e sofrimento.

— Mãe, você convidou todo mundo da rodoviária?

— São meus fregueses, foram essas as pessoas que possibilitaram a sua criação. Foi com a venda das balas e doces que criei você. Além, é claro, das minhas freguesas de roupas que lavei durante anos para pagar seus estudos.

— Mas mãe!

— Sem mas, Elisa! Caminhe e sorria. Você está linda. E olhe, seu marido está esperando por você no altar.

Elisa sorri e sente uma enorme alegria no peito. Todos os amigos estão presentes.

– Olha quem está ali, Elisa!

– Onde, mãe?

– Ali, de terno azul.

Vestindo um terno surrado e uma camisa branca um pouco manchada e gravata azul, está Fernando, o jovem vendedor da barraca de doces.

Mirtes olha para o jovem rapaz, orgulhosa de sua lealdade e confiança. Mirtes sorri.

– É o Fernando, mamãe?

– Sim, ele mesmo! Ele fez questão de vir para olhar para você. Ele sempre foi apaixonado por você. Você sabia?

– Mamãe, ele é apenas um menino que toma conta de sua barraca de doces.

– E daí, ele não pode te amar?

– Mamãe... – adverte Elisa.

Caminhando lentamente, elas chegam ao altar. Ronaldo, muito bem vestido, toma as mãos de sua amada. Eles se dirigem ao padre. Vai começar o cerimonial.

A igreja está feliz e todos estão emocionados. Todos que contribuíram para a realização deste sonho.

Enquanto isso, na casa de Ângela, o silêncio é rompido com o soluçar de Elma e Antônio, que se despedem da amada filha que agoniza em seu leito de morte.

Ângela está suada. Sentado no quarto, o médico espera pelos últimos momentos da menina. Seu corpo é pele e osso. Seus olhos verdes destacam-se na face destruída pela pele em feridas. O olhar de Ângela se perde em meio a tanto sofrimento.

Elma, sua mãe, soluça sofrendo a sua dor. Seu esposo, Antônio, segura a mão esquerda de sua filha Ângela, ajoelhado ao lado da cama. Elma beija a mão úmida da filha.

Ângela olha para a mãe e balbucia algumas palavras.

Elma então aproxima o ouvido, chegando mais perto da filha, para tentar entender o que a menina diz.

Todos estão chorando naquele momento.

– Mãe, cuida de papai. Cuida de todo mundo.

– Sim, filha, pode deixar. Mamãe vai cuidar de todo mundo.

– Mãe, cuida de Elisa para mim.

– Sim, filhinha, eu vou cuidar da Elisa.

Ângela vira o rosto e olha para o pai.

– Pai, não chore, eu te amo!

Antônio não consegue disfarçar a dor e o sofrimento.

Ângela volta a olhar para a mãe e dorme o sono da morte.

Elma solta um grito de dor.

– Não, meu Deus, por favor, não!

O médico se aproxima, afastando os pais de perto de Ângela.

E após um exame rápido, ele constata a morte de Ângela. Carinhosamente, coloca os dedos sobre os lindos olhos da menina e os fecha no sono da morte.

Elma e Antônio, em desespero, saem do quarto. Familiares mais próximos se encarregam de tudo.

Ângela desencarna no dia vinte e três de setembro, às dezessete horas e trinta e seis minutos.

Enquanto isso, na igreja o padre interrompe o cerimonial para fazer uma homenagem a Mirtes. Ele elogia a mãe que lutou sozinha para criar e formar sua filha. O padre enaltece o amor e a fé como atributos capazes de ajudar qualquer ser humano a ser feliz.

Elisa olha para os lados à procura de Ângela.

Ela sente algo no peito. Uma saudade inexplicável. Um sentimento de gratidão e amor para com a amiga.

Ela pensa: "Cadê a Ângela? Ela me prometeu que viria. Será que ela piorou? Deus, olhe por minha amiga!", pede Elisa.

Após a linda cerimônia, todos seguem para a casa de Ronaldo, onde um coquetel é oferecido pela família do noivo para convidados exclusivos.

São poucos os que receberam o convite para a luxuosa recepção. Muitos dos convidados de Mirtes não puderam ir ao evento.

Sorrisos, abraços, confraternização... Todos estão felizes. Muitos são os presentes que o casal ganhou. Elisa é só alegria.

– Parabéns, Elisa! – diz Leônidas, o professor da faculdade.

– Obrigada, professor! Que bom que o senhor veio!

– Eu é que agradeço o convite feito pelo Ronaldo.

– Obrigado, padrinho – diz Ronaldo abraçando o professor.

– Leônidas, você tem notícias de Ângela? – pergunta Elisa.

– Olha, Elisa, da última vez que soube, disseram que ela estava muito mal.

– Será que é por isso que ela não veio ao casamento?

– É provável que sim – diz Leônidas.

– O que houve, amor? Você parece preocupada – diz Ronaldo.

– É que Ângela não veio e não mandou notícias, amor.

– Você quer que eu procure saber o que houve?

– Como você vai saber, Ronaldo?

– Eu posso ligar para a casa dela e tentar saber por que ela não veio.

– Deixa, vou pedir a mamãe para fazer isso.

– Faça isso, amor – diz o rapaz.

Elisa pede para chamarem Mirtes.

– Oi filha, o que houve?

– Mãe, me faz um favor.

– Sim, filha, qual?

— Ligue para a casa de Ângela e procure saber por que ela não veio ao meu casamento.

— Mas eu não tenho celular.

— Vai lá dentro e peça para ligar do telefone fixo, eles devem ter um telefone aqui, não é, mãe?

— Está bem, filha. Vou falar com a mãe do Ronaldo e ver se ela me permite fazer a ligação.

— Você tem o número da casa de Ângela, mamãe?

— Sim, tenho aqui anotado no meu caderninho.

— Você e seus caderninhos, mamãe! Vai, vai logo. Estou com uma angústia enorme no peito.

— Fique calma, que eu vou lá dentro ligar.

Mirtes se afasta para fazer a ligação.

Sentada no sofá da luxuosa casa, Mirtes liga para a casa de Ângela e recebe a notícia fatídica. Mirtes começa a chorar quando ouve da empregada da casa de Ângela os fatos finais.

Um garçom que passa pelo lugar se aproxima de Mirtes para acudi-la.

— A senhora está bem? Posso lhe ajudar? Quer um copo com água, senhora?

— Não, meu jovem, não precisa. Obrigada!

— Tem certeza, senhora?

— Sim.

— Mas por que então a senhora está chorando?

— Tive uma notícia ruim, só isso.

— Se precisar de alguma coisa é só me chamar, está bem?

— Obrigada, meu jovem, obrigada! – diz Mirtes secando as lágrimas.

Alice, mãe de Ronaldo, percebe que alguma coisa ruim aconteceu e se aproxima de Mirtes.

— Mirtes, está tudo bem?

— Sim, dona Alice. Quer dizer, não, dona Alice. É só uma coisa muito ruim que aconteceu com a melhor amiga de Elisa.

— O que houve, meu Deus?

— Ela morreu hoje à tarde.

— Meu Deus!

— Ela estava com essa doença nova que apareceu aí, essa tal de AIDS – diz Mirtes.

— Meu Deus! – diz Alice, assustada. – Coitada da família!

— Sim, eles nos ajudaram muito. Se nós estamos aqui hoje, devemos boa parte disso à família de Ângela.

— Coitada da Elisa quando souber disso!

— Não sei como vou contar – diz Mirtes.

— Não conte hoje, não estrague o dia dela.

– Não, eu não vou contar, não vou falar nada sobre isso.

– Está bem, se precisar de alguma coisa, é só me chamar, *ok*?

– Obrigada, Alice.

Mirtes decide ir ao banheiro para lavar o rosto e retocar a maquiagem. Ela não quer que Elisa desconfie de nada.

Após lavar o rosto, Mirtes seca a face quando Elisa adentra ao banheiro.

– Mãe, o que você está fazendo aqui?

– Lavando o rosto, não está vendo?

– Mãe, você está chorando?!

– Não, claro que não, menina!

– Mãe, eu te conheço! O que houve?

– Nada, Elisa, nada eu já disse!

– Mamãe, você estava chorando sim, porque eu te conheço! Você ligou para a casa de Ângela? Me conta, o que houve com ela? Por favor, mamãe, não me esconda nada que tenha acontecido com Ângela.

– Filha, senta aqui – diz Mirtes mostrando um pequeno pufe colocado dentro do amplo banheiro.

Olhando fixamente para os olhos da filha como sempre fez, Mirtes dá a pior notícia para uma noiva.

– Sua amiga morreu.

Elisa olha para a mãe e começa a chorar.

– Quando foi isso, mamãe?

– Hoje à tarde, querida.

– Mãe, ela não merecia isso.

– Eu sei, filha. Ângela foi o anjo bom da sua vida.

– Mais que isso, mamãe. Ângela foi minha melhor amiga, minha confidente, meu tudo.

– Eu sei, filha. Não fique assim. Hoje é um dia muito especial em sua vida.

Elisa chora, agarrada a Mirtes.

Passados alguns minutos, ambas em silêncio, Elisa se levanta, seca as lágrimas do rosto e sai do banheiro seguida por Mirtes, desesperada.

– Aonde você vai, Elisa?

– Vou tomar um ar, mamãe.

– Elisa, olha os seus convidados.

Elisa para e fixa o olhar em Mirtes segurando-a pelos braços.

– Mamãe, deixe-me sozinha por alguns minutos, eu preciso ficar só, por favor!

– Mas aonde é que você vai assim, menina, vestida de noiva?

– Eu não vou a lugar nenhum, mamãe. Eu só vou até os jardins meditar e orar por Ângela.

– Deixe-me ir com você, filha?

– Não, mamãe, é melhor que eu fique sozinha agora.

– E se o seu marido perguntar por você?

– Diga a ele que estou no quarto descansando um pouco.

– Está bem, Elisa.

Elisa caminha até o amplo jardim da enorme casa onde mora Ronaldo. À frente há grades de ferro pintadas de verde. O jardim é todo iluminado e podem-se ver carros e pessoas passando na rua. A noite está estrelada e quente como uma noite de setembro.

Elisa caminha entre pequenas árvores floridas e passeia pelos jardins. Logo ela vê um banco de ripas de madeira e senta-se para meditar.

Elisa chora a saudade dos momentos vividos com a sua melhor amiga.

Lembra-se do sorriso de Ângela e das suas últimas palavras. Ela sabe que onde estiver, Ângela estará sempre pensando nela. Um sorriso se abre em seu coração ao lembrar-se das brincadeiras, dos momentos de alegria que passaram juntas. Elisa se lembra da faculdade, das aulas, dos lanches na lanchonete da rua, das vezes que foram juntas ao cinema e ao *shopping*. Lágrimas de saudade invadem agora seu peito. Vários porquês ficam sem respostas no coração da jovem menina.

Elisa ouve um assobio e fica procurando o autor da proeza.

Então se levanta e olha para a rua. Do outro lado da calçada está sentado Fernando com seu terninho surrado. Elisa caminha até a grade e chama por ele, que já havia se levantado e caminhava em sua direção.

– Oi, Fernando! – diz ela se aproximando.

– Oi, Elisa!

– O que você está fazendo aí fora?

– Eu não fui convidado para a festa.

– Como assim?

– Não me convidaram, mas isso não importa. Eu passei por aqui para olhar a sua felicidade.

Elisa se lembra de que Mirtes havia comentado com ela sobre o amor que Fernando nutria por ela.

– Fernando, me faz um favor?

– Sim, claro!

– Vá até aquele portão ali e pule aqui para dentro – diz Elisa apontando com o indicador um pequeno portão em frente aos jardins.

– Você tem certeza que quer que eu faça isso?

– Sim, faça isso. Vou sentar-me naquele banco e esperar por você. Dê a volta lá por trás, para que ninguém te veja, e venha até aqui para conversarmos.

Sem pestanejar, Fernando segue as orientações de Elisa e consegue chegar ao lugar em que ela está sentada a esperá-lo.

Fernando aproxima-se timidamente de Elisa.

– Sente-se aqui, Fernando – diz Elisa afastando-se para um lado do banco.

Timidamente, o rapaz senta-se ao lado de sua amada.

– O que você fazia ali fora sentado no meio-fio tão elegante assim?

– Eu não fui convidado para a festa. Daí resolvi vir até aqui para estar perto de vocês. Assim eu consigo partilhar da sua alegria.

– Sabe, Fernando, você deveria ter estudado, como eu fiz.

– Elisa, se eu perdesse meu tempo estudando, quem tomaria conta da barraca de doces da sua mãe? Como é que ela iria conseguir pagar seus estudos? Mas a minha hora vai chegar.

Os olhos de Elisa se enchem de lágrimas.

– Você fez isso por mim, Fernando?

– Sim, optei por trabalhar na barraca para ajudar sua mãe a pagar seus estudos. Mas não fica assim não, pois acabei de me matricular em um curso supletivo. Agora que você se formou e se casou, posso me dedicar e seguir seu exemplo.

Elisa abraça Fernando fortemente. Ela chora compulsivamente.

Acanhado, Fernando abraça Elisa com amor.

– Perdoe-me! – diz Elisa.

– Perdoar de que?

– Por ter feito isso a você.

– Elisa, hoje tenho vinte anos. Já sou um homem e trabalhei naquela barraca de doces por sete anos ininterruptos. Eu tinha um sonho que agora realizei. Sigo sempre o meu coração. Tudo o que ele me pede eu faço, e não estou nem um pouco arrependido de ter feito o que fiz. Olhar para você hoje vestida assim enche meu peito de alegria. É porque você não pode ver, mas quando você entrou na igreja segurando em uma mão um buquê de rosas brancas e na outra uma mãe que não mediu esforços e sacrifícios para lhe entregar para seu sonho, isso sinceramente pagou por todo o sacrifício que fizemos para ver você feliz. Sou muito grato por ter feito parte dessa fase da sua vida.

– Menino, eu não sabia que você era poeta! – diz Elisa, sorrindo.

– A poesia é um atributo de corações apaixonados, Elisa.

– Você não está me cantando, está, Fernando? Me respeita, hein, menino!

– Não, não estou te cantando. Simplesmente estou respondendo o que você me perguntou.

– Estou brincando. Não sei como consegui brincar com você, mas você acalmou o meu coração.

– Sinto-me grato por isso – diz o rapaz.

– Hoje realizei uma parte de meu sonho, sabe Fernando. E hoje também a minha melhor amiga morreu. Estou feliz, mas muito triste. Não sei o que sentir, o que pensar, não sei o que falar. Estou muito confusa.

– Eu não sei se você tem alguma religião; pelo que sei, não tem.

– Você tem religião?

– Para ser sincero, não.

– Eu não tive tempo ainda para isso – diz Elisa.

– Mas deixa eu te contar uma coisa:

– Conte!

– Eu sou muito pobre, assim como você era. Ando pelas ruas desde menino, aprendi muita coisa na rua. Sabe, Elisa, quando você é pobre e vive na rua, você esbarra sempre nas coisas de Deus. A rua é o melhor lugar para você se encontrar com Deus. Na rua você passa fome, daí vem alguém e te alimenta. Você passa sede, daí vem alguém e te dá água. Você fica sem roupas, daí vem alguém e te veste. Se você fica doente, vem alguém e te cura. É na extremidade da pobreza que você conhece o amor do ser humano para com outro ser humano, assim como Ele propôs. Deus propôs que todos nós nos amemos como Ele nos amou. As pessoas estão muito distantes do amor de Deus. Todo mundo está correndo atrás de seus sonhos e se esquece que sonhos adormecem na alma da gente. A melhor experiência que se pode ter de Deus é viver onde vivem os corações aflitos, é onde o sofrimento é diário. Deus está presente em todos os lugares, mas Ele está mais próximo daqueles que sofrem sozinhos, desamparados de amor.

– Que lindo, Fernando!

– Onde foi que você aprendeu tudo isso, rapaz?

– Nas ruas, Elisa. Nas ruas da vida.

– Nossa, nem parece que você só tem vinte anos!

Elisa está estranhamente calma e serena. E Fernando percebe isso.

– Você está mais calma agora?

– Não sei nem o que dizer; você me passa uma paz inexplicável!

– Quando vi que você estava caminhando no jardim, pude perceber que você estava chorando muito. Imediatamente comecei a orar por você. Pedi a Deus que acalmasse o seu coração e que o mal que lhe afligia fosse afastado de você.

– Não foi nenhum mal, Fernando. Fiquei triste com a notícia da morte de minha melhor amiga. Ela estava com AIDS. Sabe, acho que foi melhor assim, ela estava sofrendo muito. Fiquei sem coragem de visitá-la no fim de sua vida; na verdade preferi guardar as boas lembranças de nossos momentos. Acho que fui egoísta.

– Não se trata de egoísmo. Isso é amor.

– Você acha mesmo?

– Sim, quando guardamos em nosso coração lembranças positivas, jamais pensaremos naquela pessoa negativamente. O que os olhos não veem o coração não sente, Elisa.

– Pior que isso é verdade, Fernando.

— Imagine se você estivesse ao lado dela nos últimos momentos de vida. Certamente você sofreria com ela. Você veria o sofrimento dela. E guardaria isso em seu coração. Você iria procurar esquecê-la o mais rápido possível, porque assistir à mesma dor todos os dias é sofrer por algo que partiu. Como você não acompanhou o sofrimento dela, ficam as boas lembranças. Às vezes é necessário que nos furtemos da dor alheia, para que isso não marque nosso coração.

— Poxa, eu não tinha pensado assim.

— Sofrimento é para quem está acostumado a viver em sofrimento. E você, embora tenha passado muita necessidade, nada sofreu.

— Minha mãe sempre me amparou nas horas mais difíceis.

— Isso. Deixemos o sofrimento para pessoas preparadas para isso. Guarde em seu coração os momentos de alegria vividos com ela. Ninguém quer ser lembrado na dor. Sua amiga agora vai experimentar novas coisas, novas pessoas, uma nova vida; e certamente ela vai ficar muito feliz quando, em sua mente, você se lembrar dela com alegria.

— Eu não sabia que você era assim, Fernando.

— Você viveu até os dias de hoje uma vida muito diferente da minha. Eu lutava para comer e dar de comer a quem eu amo, enquanto você corria atrás de seu sonho.

Ronaldo se aproxima do casal.

– Boa noite, rapaz!

– Boa noite, senhor! – diz Fernando se levantando e se preparando para sair.

– Quem é esse cara, Elisa?

– Calma, Ronaldo, Fernando é um amigo de infância.

Ronaldo estende a mão e cumprimenta Fernando.

– Seja bem-vindo, Fernando! Vamos entrar, Elisa. Estão todos procurando por você lá dentro.

– Vamos sim, amor. Desculpe-me, precisei ficar um tempo aqui sozinha, daí o Fernando chegou e me distraí com o tempo.

– Sem problemas, querida. Agora vamos entrar. Venha, Fernando, venha se divertir e beber alguma coisa.

– Obrigado, senhor, mas...

Elisa interrompe.

– Na, na, nina não! Venha Fernando, você é nosso convidado.

– Sendo assim, não tenho alternativa – diz o rapaz, envergonhado.

Fernando, Elisa e Ronaldo voltam à festa.

Elisa sente-se em paz e grata pelas palavras de Fernando, que acalmaram seu coração.

"As palavras do amor são escritas por linhas incompreensíveis da vida."

Osmar Barbosa

Os filhos

Um elegante jovem, chegando ao andar do escritório da mais importante empresa estabelecida na cidade, adentra a sala de Elisa, que está com a porta entreaberta.

– Bom dia, Elisa!

– Bom dia, doutor Gustavo!

– Chegou cedo hoje? – pergunta Elisa.

– Tenho alguns projetos que preciso apresentar na reunião da diretoria que teremos hoje à tarde.

– Eu também. Tenho que terminar minha apresentação.

– Hoje a reunião será decisiva para a implantação da matriz em Brasília.

– Sim, os diretores estão atônitos.

– De minha parte já está quase tudo elaborado, só faltam alguns custos que o Jonas ficou de me passar hoje.

– Sendo assim, vou seguir seu exemplo e me dedicar para terminar o quanto antes meu serviço.

– Eu ainda tenho médico na hora do almoço, por isso cheguei mais cedo hoje – diz Elisa.

– Algum problema, Elisa?

– Não, só rotina mesmo, coisas de mulher.

– Tenha um bom dia! – diz seu colega de trabalho.

– Obrigada, Gustavo. Para você também!

Elisa é a gerente de novos negócios da maior empresa de sua cidade. Passaram-se dois anos. Ela e Ronaldo agora planejam aumentar a família.

Passadas algumas horas...

– Boa tarde, Elisa!

– Oi, Janice.

– O que houve? Você está bem?

– Engraçado, almocei e vim para cá. Quando estava no elevador comecei a me sentir enjoada.

– Espero que seja o seu bebê, Elisa – diz a doutora Janice.

– Mas doutora, faz só dois meses que parei de tomar o remédio!

– Você tem uma excelente saúde, Elisa. Provavelmente você está grávida!

– Será, Janice?!

– Deite-se ali na maca – diz a médica. – Vou examiná-la e tirar um pouco de sangue para um exame rápido.

Após o exame, Janice sai da sala.

– Você pode sair da maca e sentar-se na cadeira da sala de atendimento, Elisa. Vou até a outra sala e já volto.

– Algum problema, doutora?

– Não, eu só preciso pegar um receituário e lavar as mãos. Temos que esperar o resultado do exame de sangue.

– *Ok* – diz Elisa, desconfiada.

Janice volta à sala. Elisa acompanha os movimentos da médica, preocupada com a notícia que vai receber.

– Elisa, acho que você está grávida. Embora eu tenha quase certeza, precisamos esperar pelo resultado do exame de sangue.

– E quanto tempo demora isso?

– Algumas horas. Você está bem, está tudo bem. Agora, vá para o seu trabalho. Se o enjoo persistir, me ligue que eu lhe passo um remedinho, mas vou logo adiantando que enjoo não é doença, e muito pouca coisa podemos fazer para evitá-lo.

– Compreendo, Janice. Obrigada!

– Você está se sentindo enjoada agora?

– Não, já passou.

– Isso é gravidez, pode ter certeza.

– Posso espalhar a notícia, doutora?

– Não, ainda não; vamos esperar pelo resultado do exame. É mais prudente.

– Obrigada, Janice!

– Não tem de que, Elisa.

– Posso ir?

– Sim, mais tarde ligo para você.

– Obrigada, doutora!

Elisa volta para a ampla sala anexa à diretoria da empresa de onde ela e mais alguns diretores administram um grande conglomerado de empresas.

A reunião da diretoria começa pontualmente às 16 horas. Todos os diretores estão presentes. Acionistas esperam ansiosos pela apresentação do projeto de transferência da matriz para Brasília. Elisa, competentemente, agrada a todos com sua apresentação.

Após voltar à sua sala ela verifica que há sobre a mesa um bilhete de sua secretária que informa da ligação da médica.

Por alguns instantes ela se desliga da preocupação que ficou aparente após o término da reunião. Elisa percebeu que a diretoria não só pretende transferir a matriz para Brasília, como também tem planos de transferir todos os diretores para aquela cidade.

Uma enorme angústia se instala em seu peito. "Como assim? Transferir todos os diretores para Brasília? Logo agora que eu e Ronaldo planejamos ter filhos...", pensa.

Ela então resolve ligar para a médica para afastar de vez a angústia de seu coração.

"O trabalho ou a família? O que é mais importante neste momento?", pensa Elisa.

"Eu tenho uma carreira enorme a ser construída aqui na empresa. O Ronaldo não vai querer largar os negócios da família do pai dele para ir morar em Brasília. Meu Deus, me ajude!"

Elisa liga para a médica.

– Alô! Janice?

– Sim!

– Aqui é Elisa.

– Oi, Elisa, como está? Tudo bem?

– Sim, estou retornando sua ligação.

– Seu enjoo melhorou?

– Janice, tive uma reunião bombástica aqui na empresa agora, confesso que nem pensei em enjoo.

– Que bom, então! Mas você está bem?

– Sim, estou.

– Olha, Elisa, o exame deu positivo.

– Eu estou grávida?

– Sim, querida, você está grávida.

Uma enorme emoção invade o peito de Elisa. Seus olhos ficam marejados.

O silêncio envolve a conversa.

– Elisa – diz a médica. – Elisa – a médica insiste.

– Oi, doutora, desculpe-me. É que uma chuva de trovões invadiu o meu coração neste momento.

– Você está emocionada?

– Muito, você nem imagina quanto.

– Parabéns então, Elisa! Agora precisaremos acompanhar sua gravidez. Vou precisar fazer outros exames com você. Ligue para minha assistente e agende um horário para a semana que vem, está bem?

– Sim, Janice, vou ligar para ela.

– Espero por você na semana que vem. E olha, parabéns, querida!

– Obrigada, doutora – diz Elisa desligando o telefone.

Elisa desaba sobre a luxuosa cadeira de sua sala.

"Meu Deus! E agora o que faço? Grávida, transferida, todos os meus sonhos se realizando e esse enorme tornado em minha vida. O que fazer? Qual é a decisão que tenho que tomar agora? Minha família eu acho que é o mais importante neste momento, mas eu lutei tanto para chegar onde estou. E se eu abortar essa criança e não falar nada para o Ronaldo? Quem sabe isso facilita a minha ida para Brasília. Eu posso ficar lá e de vez em quando vir visitar minha família. Mas não sei se eu conseguirei viver sem Ronaldo e sem a minha mãe. Mamãe, tudo bem que eu a levo comigo. Mas e o Ronaldo? Eu amo o meu marido! Lutei tanto para chegar onde estou..."

Elisa ouve três batidas à sua porta.

– Entre! – diz a jovem.

Lentamente a porta se abre e Gustavo entra.

– Com licença, Elisa.

– Entre, Gustavo.

– Posso me sentar?

– Sim, claro. Desculpe-me, estou com a cabeça a mil depois dessas notícias.

– É, querida colega, temos que nos preparar para a mudança para Brasília, se quisermos ficar na empresa.

– Mas em que outra empresa poderíamos trabalhar nesta cidade? Aqui só há a nossa empresa. Se quisermos ter um futuro melhor, o que temos a fazer é seguir com o resto da diretoria para Brasília.

– Eu até já liguei para minha mulher e preparei o terreno – diz Gustavo.

– É, meu amigo, vou ter que decidir.

– Vim aqui para lhe dizer que conversei com o Ramos, da diretoria, e ele me disse que a empresa já pediu a ele para procurar um prédio em Brasília para a transferência definitiva. Agora, Elisa, é orar para que tudo dê certo.

– O que fazer, Gustavo? O que fazer? – lamenta Elisa.

– Quero também lhe pedir o relatório organizacional da filial do Amazonas. Vou propor a implementação de algumas mudanças que visam reduzir nosso custo de armazenagem por lá. Você pode me fornecer?

– Sim, vou pedir a Joice para separar e entregar na sua sala.

– Obrigado – diz Gustavo se levantando.

– Tenha uma boa tarde, Gustavo!

– Obrigado, Elisa, para você também!

Após a saída de Gustavo, Elisa arruma sua bolsa e se dirige até sua casa, findando o expediente uma hora antes do horário normal. Joice, sua secretária, estranha a atitude da tão dedicada profissional.

– Joice, vou sair mais cedo hoje. Tenho algo muito importante para resolver em casa. Se alguém procurar por mim, anote o recado. Amanhã eu resolvo!

– Sim, Elisa, pode deixar. Bom descanso!

– Obrigada, Joice, e até amanhã!

– Até amanhã, Elisa!

Elisa pega seu automóvel e vai para casa. Ela está extremamente preocupada. O que fazer agora?

Mirtes, que reside agora com Elisa, sempre espera pela filha com um jantar pronto, feito carinhosamente por ela.

Pouco tempo depois, Elisa chega a seu belo e bem localizado apartamento na zona sul da cidade. Os tempos são outros.

Mirtes ouve o barulho da porta da sala se abrindo. Ela está sentada na sala assistindo à TV.

Elisa entra.

— Elisa a essa hora em casa?! O que houve, filha?

— Nada, mãe. Eu tive alguns problemas no trabalho e tenho que tomar algumas decisões.

— Algo grave?

— Não, mamãe; decisões de diretoria, só isso.

— Quer um copo com água, um café?... Eu preparo para você!

— Não, mãe, obrigada! Eu vou tomar um banho e me deitar um pouco, preciso pensar.

— Você não está mentindo para mim, está, filha?

— Não, mamãe, eu não estou mentindo.

— Eles vão mandar você embora, filha?

— Não, mamãe, não é nada disso! — diz Elisa indo para o quarto.

— Se precisar de alguma coisa é só me chamar. Eu e a Josefa estamos aqui.

— Está bem, mamãe, pode deixar.

Sob o chuveiro quente, Elisa começa a acariciar a barriga. Ela fecha os olhos, senta-se na banheira quase cheia de água quente e lembra-se de Ângela, a amiga tão querida.

— O que faço agora, Ângela? Uma criança a essa altura dos

acontecimentos! O que você me aconselharia a fazer agora, minha eterna fada madrinha? Deus, me ajude!

Elisa acaricia a barriga e conversa com o seu bebê.

"Por que você veio agora? Você não poderia esperar mais um pouquinho? Sei que fui eu quem quis, mas você poderia ter ficado quietinho lá no céu. Agora a mamãe tem que decidir se você virá ou não. A mamãe vai ter que decidir por sua carreira ou por você. Pede ao Papai do Céu para me ajudar a decidir, já que você ainda mora aí. Será que você vai ser menina ou menino?"

Em seus pensamentos ela vê uma menininha linda de cabelos cacheados e de vestido rosa correndo em sua direção.

"Ou será que você vai ser um menino?"

Em seus pensamentos ela vê um lindo menino de cabelos bem cortados, beijando sua face carinhosamente.

"Deus, o que faço?"

Mirtes bate à porta.

– Elisa, você está bem?

– Sim, mamãe, eu só estou relaxando no banho.

– Ah! É que estou preocupada com você, filha.

– Está tudo bem, mamãe; tudo bem, fique tranquila.

– Eu preparei um café para você. Vou te esperar na cozinha.

– Está bem, mamãe, já estou terminando o banho e vou me encontrar com você na cozinha.

– Eu fiz biscoitinhos de neve para você.

– Está bem, mamãe, eu já estou indo.

– Não demore, filha.

– Está bem, mãe.

Elisa sai do banho e tem sobre a cabeça uma toalha amarrada para secar os cabelos. Enrolada em um traje pós-banho, Elisa se dirige à cozinha para tomar café com a sua amada mãe.

– Pronto, dona Mirtes, aqui estou!

– Pensei que você tivesse morrido no banheiro.

– Boa tarde, dona Elisa! – diz Josefa se aproximando com um bule de café nas mãos.

– Oi, Josefa, como vai você?

– Estou bem, senhora!

– E as crianças como, estão?

– Elas estão bem, senhora. Obrigada por perguntar.

– Sirva-a, Josefa.

– Sim, dona Mirtes.

Josefa se aproxima e serve café para Elisa.

– Você sabe do seu marido? – pergunta Mirtes.

– O Ronaldo?

– Tem outro?

– Não, mamãe. Ele vem para jantar hoje.

– Então vamos preparar *aquela* comida, Josefa – diz Mirtes.

– Pode deixar, senhora, vamos caprichar.

Elisa come o biscoito feito de nata de leite e delicia-se com o delicioso café preparado por Josefa.

– Filha, posso lhe perguntar uma coisa?

– Sim, mãe, claro que sim!

– Está tudo bem mesmo com você?

– Sim, mamãe!

– É porque eu moro há mais de três anos aqui com você, e nunca vi você chegar cedo em casa.

– Hoje decidi dedicar-me um pouquinho a mim mesma. Eu preciso tomar algumas decisões, e o melhor lugar para refletir sobre isso é na minha cama.

– Então faça isso, filha. Termina o café e vai se deitar.

– É isso que vou fazer, mamãe.

– Não é nada grave não, não é, filha?

– Não, mamãe, não é nada grave. É que realmente preciso decidir algumas prioridades, só isso!

– Estou aqui para o que você precisar, está bem, filha?

– Pode deixar, mamãe!

Após o café, Elisa se deita e dorme.

Durante o sono ela sonha. E em seu sonho ela está em um lugar muito bonito. Flores, árvores imensas, pequenas trilhas onde pessoas caminham alegremente conversando umas com as outras, sorrindo. Há meninos correndo atrás de uma bola de futebol e meninas brincando, correndo entre os lindos arbustos. O sol resplandece toda a beleza do lugar. Pássaros cantam alegremente a mais linda melodia já ouvida.

Adolescentes estão sentados em grupos, parecem brincar de algum jogo com as mãos. Eles riem muito alegremente e brincam felizes.

Elisa está sentada admirando tudo aquilo.

Ela é surpreendida por uma menina que lhe sorri a distância e acena para ela dando um tchauzinho com a mão direita.

Surpresa e impressionada com a beleza da menina que aparenta uns nove anos, Elisa sorri e retribui o gesto.

A imagem daquela menina a impressiona, e ela acorda assustada com uma buzina na rua do seu prédio.

A imagem da menina sorrindo alegra o seu coração.

Elisa decide que vai ter o filho que está em seu ventre. Ela pensa naquele rostinho acenando para ela e descarta imediatamente a ideia de abortar aquela criança. Ela pensa: "Isso é um aviso de Deus, aquele lugar, aquelas pessoas, aquelas crianças brincando, os jovens, o sorriso que espero seja desta menina que estou esperando aqui dentro de mim".

Elisa acaricia a barriga.

"Eu vou ter minha filha, custe o que custar. Na minha carreira eu penso depois."

Decidida, Elisa se levanta e vai procurar por Mirtes.

– Mãe, mãe! Onde você está?

– Estou aqui na cozinha terminando o jantar, querida!

Apressadamente Elisa adentra à cozinha.

– Mãe, mãe, vem cá!

– O que houve, Elisa? Meu Deus, você está me assustando!

– Mãe, vem cá, senta aqui – diz ela puxando Mirtes pelas mãos, apontando a cadeira mais próxima.

– Mãe, eu tenho uma excelente notícia para te dar.

– Diga, filha!

– Está preparada?

– Meu Deus! O que será que você aprontou agora, menina?!

– Mamãe, você vai ser avó!

Quase desmaiando de felicidade, Mirtes sorri alegremente.

– Você já fez o exame?

– Sim, mamãe, eu estou grávida!

– Meu Deus, que notícia maravilhosa! Meu Deus, que felicidade! – diz Mirtes.

– O Ronaldo já sabe?

– Ninguém sabe, mamãe; só eu, você e agora a Josefa.

– Filha, que bênção!

– Pois é, mamãe. Que bênção!

– Temos que preparar o enxoval da criança.

– Calma, mamãe, ainda nem sabemos o sexo.

– Mães sabem o sexo. É só se concentrar que você vai saber se é menino ou menina.

– Eu acho que é uma menina, mamãe, e eu até acho que sonhei com ela. Eu estava dormindo e acordei quando estava acenando para uma linda menina.

– Pronto, já está respondido. É uma menina!

– Não importa o sexo, mamãe, o que importa é que venha com saúde.

– Sim, filha. Isso mesmo. Que venha com saúde a nossa menina! Vou reforçar o jantar, estou vendo que o Ronaldo hoje vai ser o pai mais feliz do universo.

– Vou preparar uma surpresa para ele. Vou ligar para os pais dele para fazermos um jantar surpresa, daí eu anuncio a todos a minha gravidez. O que você acha, mamãe?

– Eu acho ótimo. Chame a todos, que eu vou preparar tudo junto com a Josefa, querida!

– Então prepare tudo aí, mamãe, que eu vou ligar para os pais dele e organizar tudo.

– Está bem, filha.

A noite é de muita alegria e felicidade extrema. Ronaldo se sente muito feliz. Sua mãe, Alice, não consegue esconder a felicidade; Joir, feliz, diz-se preparado para o primeiro neto.

A alegria é enorme. Elisa esconde as decisões que a empresa está tomando naquele momento para não causar preocupações desnecessárias à família.

Após nove meses nasce uma linda e saudável menina que eles decidem que se chamará Laís. E a família está extremamente alegre. O quarto preparado com amor e carinho recebe aquela linda menina.

"*E quando eu pensei que havia sido derrotado, veio um arco-íris e coloriu a minha caminhada.*"

Osmar Barbosa

A despedida

Por um momento Daniel me pediu que ficasse atento ao que iria acontecer ali naquele instante. Eu concordei com a cabeça e fiquei calado, sentado ao lado do iluminado mentor.

Um assessor de Daniel adentra a sala trazendo em uma das mãos uma prancheta transparente. Na outra mão havia um pergaminho daqueles que estamos acostumados a ver nos filmes antigos. O pergaminho era dourado e estava preso com fitas vermelhas reluzentes. O rapaz está vestido com uma túnica branca que lhe cobre todo o corpo chegando até aos pés. É um rapaz que aparenta uns vinte e três anos. Sorridente e ligeiro, ele se aproxima de nós.

– Boa tarde, Danicl!

– Boa tarde, Marques!

– Trago o pergaminho que você solicitou, para ser entregue a Heloísa.

– Ela já chegou?

– Sim, ela está lá fora atendendo carinhosamente a todos que estavam a lhe esperar.

– Heloísa sempre gentil! – diz o abnegado instrutor.

— Sente-se, Marques, vamos aguardar a entrada dela.

Poucos minutos depois vi algo que me marcou para sempre. Uma linda jovem de aproximadamente vinte anos adentra a sala. Ela é loira de olhos azuis. Vestida em uma túnica azul-clara, ela parece flutuar sobre o chão. Confesso que fiquei surpreso com tamanha beleza, pois nunca tinha visto uma mulher tão linda assim em toda a minha vida. E ainda nos dias de hoje reflito sobre tanta beleza em um só espírito. Ela entrou na sala de forma delicada, sorridente e feliz. Daniel e Marques ficaram de pé para cumprimentá-la.

— Boa tarde, Daniel! – disse a jovem com voz suave e doce.

— Boa tarde, Heloísa! Como estão as coisas na Metrópole Astral do Grande Coração?

— Estamos todos bem por lá, Daniel. Aliás, quero lhe parabenizar pelas conquistas de Amor e Caridade.

— Obrigado, Heloísa!

— O pergaminho já está pronto?

— Sim, está aqui – diz Daniel entregando-lhe o lindo pergaminho.

— Quero lhe agradecer por tê-lo guardado para mim, Daniel.

— Eu é que agradeço a confiança em mim depositada.

— Agora tenho que voltar ao trabalho – diz a linda jovem.

— Se precisar de mais alguma coisa é só nos acionar, Heloísa.

— Eu sei que posso confiar em você, Daniel. Obrigada por tudo.

Daniel toma as mãos da linda jovem, que sorri, e a cumprimenta despedindo-se.

– Bom retorno, Heloísa!

– Obrigada, Daniel; obrigada, Marques. Tenham todos um excelente dia! – diz a jovem se despedindo.

Ela me cumprimentou com o olhar. Fiquei estupefato sem saber o que fazer. Eu só mexia a cabeça como um ventríloquo apaixonado.

Como num piscar de olhos a doce jovem desaparece do gabinete. Fiquei impressionado com tamanha beleza e leveza espiritual daquela menina. Daniel então volta-se para mim e me pede para retornar às minhas atividades comuns. Voltei para a minha vidinha.

Passado um dia Daniel me chama novamente para voltarmos a escrever o livro.

Assim o fiz. Encontramo-nos no mesmo lugar. Ele me instruiu para sentar-me ao seu lado e observar Elisa.

Reparei que alguns anos haviam se passado. Elisa agora tinha três filhos: uma menina, cujo nascimento pude acompanhar, de nome Laís; outra, de nome Laura; e um menino ainda pequeno em seu colo, de nome Felipe.

Pude perceber também que ela já não trabalhava mais, estava dedicada à casa e aos filhos. Josefa ainda era a empregada. Mirtes estava acamada e muito doente.

O LADO OCULTO DA VIDA

– Josefa, você já olhou a mamãe hoje?

– Sim, Elisa, eu já lhe dei o café da manhã.

– Vou levar as crianças na escola e volto já.

– Sim senhora, pode deixar que eu olho ela.

– Venha, Laís, me ajude com os seus irmãos.

– Sim, mamãe! – diz a menina que aparenta uns oito anos.

Laís é uma menina muito esperta e ajuda Elisa na criação dos irmãos menores.

– O Ronaldo deixou o dinheiro das compras, Josefa?

– Sim, senhora. O dinheiro está em cima da mesa da cozinha.

– Quando eu voltar trago as coisas do mercado.

– Não se esqueça das fraldas da sua mãe.

– Pode deixar, Josefa.

Elisa leva as crianças para a escola. Felipe, o menor, é o último a ficar na creche. Laís e Laura estudam na mesma escola.

Elisa está no mercado com o carrinho cheio de compras, quando recebe um telefonema de casa.

– Alô, dona Elisa?

– Sim, Josefa, o que houve, aconteceu alguma coisa com a mamãe?

– Dona Elisa, por favor, corre para casa! Sua mãe não está nada bem.

– Estou indo, ligue para o Ronaldo e peça-lhe que providencie uma ambulância.

– Sim, senhora, mas venha rápido.

– Estou indo, Josefa.

Elisa deixa o carrinho no mesmo lugar e sai desesperada para o estacionamento onde pega o carro e se dirige para casa.

Esbaforida, ela entra correndo em seu apartamento e se dirige ao quarto onde Mirtes agoniza em seus últimos momentos de vida.

Elisa ajoelha-se ao lado da mãe e lhe toma as mãos.

– Josefa, você ligou para o Ronaldo pedindo a ambulância?

– Sim, ele disse que está vindo e que já chamou a ambulância.

Josefa fica encostada à porta do quarto com as mãos no rosto contendo as lágrimas que descem por sua face.

Ajoelhada, Elisa segura as mãos de Mirtes.

– Mãe, não morre não, por favor! – diz Elisa chorando.

Mirtes vira o rosto na direção de Elisa, seus olhos estão entreabertos. No rosto há um estado de alegria.

Mirtes balbucia algumas palavras para Elisa.

– Filha minha, eu sempre te amarei. Perdoe-me por alguma falta.

– Mãe, não fala nada, deixa de bobagens. Você não vai morrer. A ambulância já está vindo.

– Meu amor, meu orgulho. Cuide-se e cuide bem de sua vida – diz Mirtes fechando os olhos dando o último suspiro de vida.

Elisa chora alto e compulsivamente. Josefa se aproxima e se ajoelha ao lado da amiga e patroa.

Elisa sente as mãos de sua mãe gelar. Josefa chora junto a Elisa a morte de Mirtes.

– Mãe, mãe! – diz ela.

Josefa abraça Elisa.

– Não há mais nada a fazer, Elisa. Minha amiga se foi.

Elisa chora.

Ronaldo chega correndo, e tomando Elisa pelos braços, levanta e abraça sua mulher com carinho.

– Tenha calma, amor, a ambulância já está vindo.

– Mamãe morreu, Ronaldo. Não há mais nada a fazer.

– Lamento, querida; lamento muito! Coitada da dona Mirtes!

O interfone toca e Josefa corre para atender.

É a ambulância que chegou. O médico constata que realmente não há mais nada a ser feito. Mirtes está morta.

Elisa está arrasada e muito triste, afinal Mirtes foi uma mãe que fez de tudo para que ela fosse feliz.

O enterro é preparado. Os amigos aparecem para a despedida. Elisa sente certo conforto no coração e não entende muito bem porque está se sentindo aliviada.

– Vamos, Elisa?

– Quero ficar mais um pouco aqui, Ronaldo. Por favor, vá para casa e cuide das crianças.

– Você vai ficar fazendo o que, sozinha aqui no cemitério?

– Vou me sentar ao lado do túmulo da mamãe, ainda tenho algumas coisas para conversar com ela.

– Você tem certeza que quer fazer isso, amor?

– Sim, só quero ficar um pouco sozinha com ela. Não tive oportunidade de me despedir dela e agradecer por tudo que fez por mim.

– Está bem, Elisa. Só não demore.

Ronaldo e todos os amigos se despedem de Elisa. Ela fica sozinha no cemitério e senta-se ao lado do majestoso túmulo da família de Ronaldo, onde repousaram o corpo de Mirtes.

Após alguns minutos Elisa conversa com sua mãe:

"Mãe, quero lhe agradecer por tudo o que você fez por mim. Se hoje sou o que sou, devo a você, que sempre lutou e me ensinou a lutar. Nada do que você fez por mim será esquecido. Todas as vezes que você dividiu comigo o único prato de comida que tínhamos para comer eu agradecia a Deus por ter sido você a mãe que escolhi.

Obrigada pelas madrugadas que você passou ao meu lado quando eu tinha dificuldade de aprender na escola e você, mesmo sendo quase analfabeta, fazia questão de estar comigo nos piores momentos da minha vida. Você nunca pintou as unhas das mãos, porque não podia ter esse luxo; afinal, você lavou muita roupa suja para me sustentar.

Mãezinha, obrigada por tudo. Lembro-me de quando era menina e você comprou para mim uma roupa de quadrilha para a festa da escola, e depois descobri que você parcelou a compra em milhares de vezes para pagar. Dona Mirtes, obrigada por tudo! Agora vou criar seus netos e lhes mostrar o exemplo de mãe que você sempre foi para mim.

Eles terão orgulho de serem os netos da vendedora de balas da rodoviária, não tenha dúvida disso."

As lágrimas escorrem pela linda face de Elisa. Em suas mãos há um pequeno guardanapo encharcado de lágrimas de amor.

Elisa sente alguém lhe tocar o ombro esquerdo.

– Oi, Elisa!

– Fernando! – diz ela, assustada e feliz!

Imediatamente Elisa se levanta e abraça apertadamente o jovem amigo.

– Quanto tempo, Fernando!

– Pois é, Elisa. Realmente faz um bom tempo que não a vejo.

– Você veio, não é, meu amigo?

– Sim, eu não poderia faltar a essa despedida. Mirtes foi minha segunda mãe.

Elisa chora, abraçada a Fernando.

– Pare de chorar, Elisa. Mirtes não ficará feliz se você ficar assim.

– Eu choro a dor da saudade que vou sentir dela, Fernando. Afinal, minha mãe era minha única parenta. Eu não tenho mais ninguém agora.

– Você tem a mim, e sempre terá.

– Obrigada, Fernando, por sua amizade!

– Sente-se aqui, Elisa – diz Fernando puxando Elisa para sentar-se em um banco de cimento embaixo de uma árvore. Os últimos raios solares se apresentam entre os galhos e folhas criando um ambiente lindo no entardecer.

Fernando toma as mãos de Elisa, e olhando-a fixamente diz:

– Elisa, desde menino trabalhei na barraca de doces de sua mãe. Mirtes muito me ajudou até pouco tempo atrás. Acho que você não sabe, mas sua mãe deixou-me a barraca de doces como indenização por tanto tempo trabalhado.

– Eu não sabia, pensei que ela havia acabado com o negócio.

– Não, ela não acabou com a barraca; pelo contrário, quando você melhorou de vida e ela não precisava mais do dinheiro da barraca, ela me passou o ponto com tudo dentro. Logo depois ela apareceu e reformou todo o lugar com seu próprio dinheiro.

– Olha que legal!

– E não foi só isso. Além de doces, passei a vender jornais, revistas, artesanato e muito mais.

– Nossa, que lindo o gesto da mamãe!

– E ela me deu tudo isso com uma condição.

– Qual?

– Que eu voltasse a estudar e me formasse.

– E você fez isso?

– Sim, acabei de me formar. Agora sou um advogado.

– Meu Deus, Fernando, que notícia boa!

– Boa mesmo! E tudo isso graças a essa mulher que acabamos de enterrar agora. Uma mulher trabalhadora, generosa, inteligente, meiga, amiga, sincera, minha segunda mãe. Se não fosse ela, certamente hoje eu estaria nas ruas vendendo alguma coisa para comer.

– Isso é verdade, Fernando. Tenho muito orgulho de ter sido filha dela.

– Eu também tenho muito orgulho dela. – disse o rapaz.

Elisa perde-se no olhar que se mantém fixo no túmulo da mãe.

– Agora é seguir em frente – diz Fernando.

– É, Fernando, eu sei. Seguir em frente...

– Vamos tomar um café?

– Eu aceito sim, meu amigo, estou precisando mesmo.

Elisa e Fernando vão até uma padaria próxima ao cemitério e passam o resto da tarde conversando. Elisa se sente feliz ao lado do companheiro de tantos anos. Seu coração se sente em paz.

"A vida não se resume a esta vida."

Nina Brestonini

A vida como ela é

Um ano depois...
Elisa é acordada por Laís bem cedinho.

– Mãe!

– Oi, filha,

– Vamos passar o dia na casa da vovó?

– Por que, amor?

– Estou com saudade dela e do vovô.

– Ronaldo, acorda! – diz Elisa, mexendo no marido que dorme ao seu lado.

– Sim, querida!

– A Laís está pedindo para irmos à casa de seus pais.

– Eles não estão em casa, Laís. Seus avós foram para o sítio neste fim de semana – diz Ronaldo abraçando carinhosamente a menina, puxando-a para si.

– Mas eu queria muito ver minha avó.

– Na semana que vem prometo levar você lá.

– Está bem, papai – diz Laís saindo do quarto.

— Que horas são, querida? – pergunta Ronaldo a Elisa.

— Sete e meia, querido.

— Meu Deus, nem no domingo consigo descansar!

— Perdoe-me, Ronaldo, nem percebi a Laís entrar no quarto.

— Tudo bem, querida! Vou aproveitar para dar uma caminhada.

— Vai, sim. Na volta traga pães, e se possível, o jornal de hoje.

— Trago sim, querida – diz Ronaldo se levantando.

Após cerca de vinte minutos ele já está na rua principal do seu bairro caminhando.

Elisa organiza o café da manhã das crianças. Todos já estão acordados.

— Mãe, posso lhe perguntar uma coisa? – diz Laura tomando seu chocolate quente.

— Pode sim, amor.

— A vovó Mirtes foi morar no céu?

— Sim, meu amor. Por que essa pergunta?

— Eu a vi ontem lá no meu quarto.

— Como assim, Laurinha?

— Eu vi a vovó ontem à noite lá no meu quarto.

— E o que ela estava fazendo?

— Ela estava fazendo carinho na cabeça da Laís.

— Isso só pode ser coisa da sua imaginação, menina!

— Claro que não, mamãe! Eu vi nitidamente vovó acariciando a cabeça da Laís.

— Está bem, Laura, está bem!

— Depois a vovó Mirtes chegou perto de mim e sorriu.

— E depois?

— Depois ela foi embora. Ela estava acompanhada de um moço bonito, alto, de cabelos longos. Ele também sorria para mim. Eu me lembro muito bem do sorriso e do rosto dele.

— Ele era bonito?

— Muito, mamãe, muito bonito!

— Você vive vendo essas coisas, não é, Laurinha? – disse Josefa se aproximando.

— Eu não pedi para ver a vovó e muito menos aquele moço bonito. Eles é que de vez em quando aparecem no meu quarto para mexer na cabeça de Laís.

— Está bem, Laurinha, agora vá brincar com seus irmãos lá no quarto – diz Elisa.

— Está bem, mamãe – diz a menina pulando da cadeira e correndo até o quarto.

Josefa se aproxima e fala baixinho com Elisa.

— A senhora precisa levar essa menina a um centro espírita para ser rezada. Todo dia ela diz que vê espíritos aqui em casa.

— Você acredita mesmo nisso, Josefa? Você não acha que isso é coisa da cabecinha dela?

— Se fosse coisa da cabeça dela, a Laís não teria me dito que viu a avó dia desses no quarto dela.

— Ela lhe disse isso?

— Sim, na semana passada ela estava aqui tomando o café da manhã e sorria para a geladeira.

— Que loucura é essa, Josefa?

— Eu não quis falar nada com a senhora, porque sei que a senhora não acredita nessas coisas.

— E aí, o que ela fez mesmo?

— Ela estava olhando em direção à geladeira. Perguntei-lhe o que estava fazendo olhando fixamente para a geladeira.

— Ah, e aí?

— Ela me disse que dona Mirtes estava aqui de novo.

— Meu Deus, só me faltava essa na vida! Mamãe ter virado uma alma penada.

— Cruzes, dona Elisa, ela é sua mãe!

— Você acha mesmo que vou acreditar nisso, Josefa? Você acha que eu acredito em espíritos?

— Foi por isso que não falei nada para a senhora.

— Pois não perca seu precioso tempo com essas bobagens.

— Depois não diga que não falei — diz Josefa, voltando-se para a pia para arrumar a louça.

— Isso é coisa de criança. Elas, provavelmente, estão sentindo saudades da avó e ficam inventando isso.

— Tudo bem, dona Elisa. Se a senhora não acredita, não tem problema. Mas sua mãe, um pouco antes de morrer, andava lendo alguns livros sobre espiritismo.

— É, eu sei... Eu mesma comprei alguns para ela.

— Pois então a senhora deveria ler um pouco antes de julgar.

— Josefa, eu tenho muito carinho por você. E vou lhe pedir uma coisa: não toque nesse assunto aqui em casa.

— Sim, senhora. Pode deixar, não está aqui quem falou de espiritismo.

— Obrigada. Agora prepare o café do Ronaldo, que ele já deve estar chegando com o pão.

— Sim, senhora.

Josefa começa os preparativos para o café da manhã da família. As crianças brincam no quarto de Laís e Laura.

O telefone toca e Josefa corre para atender.

— Alô!

— É da casa do Ronaldo?

— Sim.

– Ele está?

– Não, o doutor Ronaldo saiu para caminhar.

– Quem está falando?

– É a empregada da casa, senhor.

– A esposa dele está?

– Sim.

– Eu posso falar com ela?

– Sim, quem deseja falar com ela?

– Meu nome é Roberto, sou patrulheiro rodoviário federal. Aconteceu um acidente de carro ontem à noite envolvendo a senhora Alice e o senhor Joir.

– Meu Deus! Eles estão bem?

– Senhora, me deixe falar com a esposa do senhor Ronaldo, por favor!

– Eu vou chamá-la. Aguarde um minutinho, por favor!

– Sim, senhora!

Preocupada, Josefa mal consegue andar. Ela caminha em direção ao quarto do casal onde Elisa está.

Elisa acaba de sair do banho e está penteando os cabelos. Ao perceber que Josefa se aproxima, ela logo pergunta:

– Quem era ao telefone, Josefa?

– Perdoe-me, Elisa, mas tem um moço da polícia querendo falar com o doutor Ronaldo. Ele está aguardando a senhora atender ao telefone.

– O que houve, meu Deus?!

– Parece que dona Alice e seu Joir sofreram um acidente de carro.

– Meu Deus! – diz Elisa correndo para atender ao telefone.

Ao chegar à sala Elisa senta-se e pega o aparelho.

– Alô!

– Senhora?

– Sim!

– Quem está falando?

– Elisa, esposa de Ronaldo.

– Senhora, me chamo Roberto Arruda, sou patrulheiro rodoviário federal. Ontem à noite houve um terrível acidente aqui na rodovia e infelizmente foram vitimados a senhora Alice, o senhor Joir e mais outras duas pessoas.

– Eles morreram?

– Infelizmente, senhora.

– Meu Deus!

– Senhora, preciso que algum responsável ou parente venha até aqui para dar prosseguimento ao fato.

– Meu marido já deve estar chegando, e assim que chegar vou para aí com ele.

– Anote aí meu telefone, por favor – diz o policial.

Josefa, que está ao lado de Elisa, pega papel e caneta para ela escrever o telefone e a localização do acidente.

Elisa senta-se na cozinha e pede a Josefa um copo com água.

– O que houve, Elisa?

– Seu Joir e dona Alice morreram em um acidente de carro ontem à noite quando iam para o sítio.

– Meu Deus, coitado do senhor Ronaldo!

– Mais essa em minha vida, Josefa, mais essa! O Ronaldo não vai aguentar isso.

– Eu vou até o meu quarto orar por eles, Elisa.

– Vai Josefa, vai sim.

Após uma hora...

Ronaldo adentra a sala suado e olha para a expressão assustada de Elisa.

– O que houve, amor?

– Vá tomar banho, e conversaremos depois.

– Mas que cara é essa, Elisa?

– Vai, Ronaldo, vai tomar seu banho. Daqui a pouco eu converso com você.

Assustado, Ronaldo segue para o banheiro. Enquanto isso, Elisa arruma sua roupa e a do marido para poderem sair.

– Josefa, vou sair com o Ronaldo. Cuide das crianças e não diga nada a elas.

– Você vai até o local do acidente?

– Sim, vou até lá com o Ronaldo para cuidar de tudo; afinal, Ronaldo é filho único e só nós podemos cuidar disso agora.

– Jesus, tende piedade! – diz a governanta.

– Eu vou acalmar o Ronaldo e seguir com ele para a cidade onde estão os corpos. Não deixe que as crianças percebam isso, por favor!

– Eu gostava tanto da dona Alice!

– Eu também, Josefa. Agora vá cuidar das crianças, por favor!

– Pode deixar, senhora!

Elisa, ainda muito abalada, segue para o quarto. Ronaldo acabara de sair do banho e está se vestindo.

– Oi, Amor, o que houve? Por que você está agindo assim?

– Ronaldo, aconteceu uma tragédia – diz Elisa segurando as mãos do marido enquanto puxa-o para sentar-se na cama.

– Mas o que houve, querida? Você está me assustando!

– Seus pais, Ronaldo.

– O que têm os meus pais?

– Eles sofreram um acidente de carro ontem, indo para o sítio.

– Acidente, como assim?

– Eles bateram o carro.

– Mas como eles estão? Onde estão?

– Meu amor, você tem que ser forte.

– Não me assusta, Elisa, por favor! Conta logo o que houve!

– Eu não sei bem certo o que aconteceu, o policial que me ligou não falou muito. Ele só me disse que houve um acidente envolvendo o carro do seu pai e que todos morreram.

Ronaldo cai deitado na cama, levando as mãos ao rosto em lágrimas.

– O que, como assim, todos morreram? Meu pai morreu? E a minha mãe, como está?

– Todos morreram, Ronaldo, segundo o policial.

– Meu pai e minha mãe morreram?

– Sim, meu amor, infelizmente, sim!

Ronaldo entra em desespero.

Carinhosamente Elisa o abraça após fechar a porta do quarto à chave.

– Tenha calma, meu amor. Por favor, pense nas crianças.

– Meu Deus, isso não é justo! Logo agora que estamos enfrentando a maior crise em nossas empresas. Como poderei salvar as empresas sem meu pai?

– Eu não estou sabendo disso. O que está acontecendo com as empresas de seu pai?

– Nós estamos falidos, Elisa, falidos! Eu não lhe contei nada para não lhe preocupar.

– Mas vocês têm bens, que certamente asseguram o bem-estar das empresas.

– Todos os nossos bens estão penhorados, querida. Meu pai deu todos os bens como garantia para os bancos.

– Meu Deus, que tragédia, Ronaldo! Por que você não me contou isso?

– Eu não queria preocupá-la com isso. Papai falou que ia dar um jeito em tudo.

– E agora?

– Agora, pelo visto, vou ter que enterrar meus pais e depois ver o que fazer.

– Tenha calma, amor! Sou formada em administração e vou lhe ajudar.

– Não tem jeito, Elisa. Não tem jeito...

– Para tudo na vida há um jeito, amor. Tenha calma. Arrume-se e vamos sair para resolver o enterro de seus pais.

– Deus! – diz Ronaldo chorando.

– Venha, seja forte! – diz Elisa levantando o marido.

Ronaldo e Elisa seguem para a cidade onde tudo aconteceu. Muito triste, Ronaldo encomenda o enterro de seus pais.

Ele é filho único e também o único herdeiro de todos os problemas deixados por Joir.

As empresas estão falidas. Os bens foram dados como garantia. Elisa até tenta ajudar a resolver a insolvência das empresas, mas em nada pode ajudar. Joir já havia assinado os documentos que garantem a execução das dívidas. Ronaldo entra em depressão após três meses do enterro de seus pais e a entrega de todos os bens aos devedores de Joir.

Mirtes tinha deixado um bom dinheiro na poupança de Elisa, e com esse recurso somado à sua poupança pessoal, Elisa decide abrir uma empresa prestadora de serviços administrativos. Logo ela consegue o primeiro cliente que lhe garante a sustentabilidade do escritório e das despesas familiares. Parece que tudo vai voltar ao normal.

"Na vida espiritual colhemos exatamente aquilo que semeamos na vida material."

Osmar Barbosa

Ronaldo

Elisa chega à sua casa mais cedo, trazendo as crianças da escola.

– Josefa!

– Sim, Elisa – diz a empregada se aproximando.

– Onde está o Ronaldo?

– Ele saiu, dona Elisa.

– Será que foi ao bar beber de novo?

– E ele faz outra coisa na vida, Elisa?

– Eu arrumei uma internação para ele numa clínica de um cliente novo que entrou no escritório. Vou levá-lo amanhã bem cedinho para ser tratado. Nós vamos conseguir tirar o Ronaldo dessa, se Deus quiser!

– E Ele quer, dona Elisa... Ele quer.

– Josefa, dê banho nas crianças. Depois coloque-as no quarto para brincar; eu vou trocar de roupa e ir atrás do meu marido.

– Sim, senhora!

Elisa entra no quarto e troca de roupa para sair à procura de Ronaldo.

Ela usa uma calça *legging*, tênis azul com meia branca e uma blusa preta de ginástica.

Após procurar Ronaldo por todos os lugares habituais, finalmente o encontra deitado no banco de cimento de uma praça próxima à sua casa.

Chega a dar dó ver o estado de Ronaldo: barbudo, bêbado, sujo e incapaz.

Elisa senta-se ao lado dele, pega delicadamente sua cabeça e coloca sobre seu colo. Algumas pessoas que passam não entendem muito bem como uma mulher tão bonita faz isso com um mendigo.

Elisa resolve fazer uma oração, algo que não é seu costume fazer.

Ela reza.

Senhor, meu Deus, tende piedade de mim.

Olhai, Senhor, pelo meu marido.

E ajude a levantar este pobre homem de bem, Senhor.

Eu Lhe imploro em nome dos meus filhos que tenha piedade de Ronaldo.

Deus, eu nunca fui muito de conversar com Você, mas hoje eu preciso da Sua ajuda.

Meu marido é um bom homem. Ele é um bom pai de família. Eu não sei onde foi que eu errei, mas Lhe imploro... olha pelo Ronaldo.

Amém.

Uma brisa suave invade todo o lugar. Elisa sente o perfume de flores e inspira o ar mais sublime daquele momento. Ronaldo balbucia algumas palavras, deitado ao seu colo.

– Querida, me perdoa por ser fraco assim!

– Eu te amo, Ronaldo, e vou fazer tudo para que você fique bom, meu amor – diz Elisa acariciando o rosto do marido. – Eu vou cuidar de você, meu amor.

– Me leva para casa, Elisa?

– Sim, meu amor!

Ronaldo mal consegue andar. Apoiado em Elisa, ele chega à sua casa, e após um banho deita-se para dormir. Os vizinhos ficam tristes ao ver o drama de Elisa.

Após dar banho no marido, Elisa o coloca para dormir, e às dez horas da noite ele se levanta e vai até a sala onde Elisa assiste à TV sozinha.

– Oi, Elisa! – diz Ronaldo sentando-se ao lado dela.

– Oi, amor, que bom que você se levantou!

– Onde estão as crianças?

– Já estão dormindo.

– Elisa, preciso de ajuda. Não suporto mais essa vida. Se eu não fizer algo agora não sei se vou conseguir suportar tudo isso.

– Meu amor, consegui um tratamento para você; amanhã vou te levar à clínica e você vai ficar bom rapidamente.

– E quem é que vai pagar por isso?

– A clínica é de um de meus clientes, e não vamos precisar pagar.

– Eu não quero caridade.

– Ronaldo, não é caridade. Eles são meus clientes. E vão descontar o seu tratamento no meu trabalho.

– Onde fica essa clínica?

– Na serra. Eu mesma vou interná-lo. Já combinei tudo com eles. Amanhã logo cedo vamos até lá.

– Você tem certeza que isso vai funcionar?

– Eu não tenho dúvidas, Ronaldo.

Laís se aproxima de Elisa e Ronaldo caminhando lentamente.

– Mamãe!

– Oi, Laís, por que você se levantou, menina?

– Oi, papai!

– Oi, filhinha!

– Mamãe, estou com dor de cabeça.

– Dor de cabeça?

– Sim, mamãe, dor de cabeça.

– Vem aqui, mamãe vai te dar um remedinho.

Elisa pega Laís pela mão e se dirige até a cozinha para lhe dar um remédio.

– Boa noite, Laís! – diz Ronaldo.

– Boa noite, papai!

Laís toma o remédio dado por Elisa e volta para a cama.

A noite passa e Elisa se levanta logo cedo e auxilia Ronaldo a fazer a barba e se vestir.

As roupas de Ronaldo caem pernas abaixo. Ele está muito magro.

Do quarto, Elisa observa através da porta entreaberta do banheiro a dificuldade do marido para se vestir. Seu coração se enche de tristeza e seus olhos ficam marejados.

Uma pequena lágrima escorre do olho esquerdo.

"Deus, por que tudo isso em minha vida? Olha para o meu marido! Como ele sofre! Ajude-me, senhor!", diz Elisa em seus pensamentos.

Elisa enxuga as lágrimas, que agora contam dezenas, e vai até o banheiro ajudar Ronaldo.

– Venha, Ronaldo, deixe-me lhe ajudar.

– Obrigado, Elisa. Você está chorando?

– Não, amor, é o vapor do chuveiro. Só isso!

Após tudo pronto, Elisa coloca as crianças no carro. Ronaldo senta-se ao seu lado no banco do carona.

Assim que as crianças são deixadas na escola, Elisa segue pela estrada para internar Ronaldo na clínica.

Uma pequena mala com algumas roupas que ela separou para o marido está no banco de trás do carro.

O silêncio é o grande companheiro de toda a viagem que dura aproximadamente duas horas. Elisa se sente triste, quase desistindo de tudo. Ronaldo dorme ao seu lado.

Como pode um homem de bem, empresário, elegante, galante, honesto e trabalhador ficar naquele estado!? Parece que algo o deixa assim. Ele tenta reagir, mas o vício, as drogas e o álcool são mais fortes que ele.

Elisa reflete muito durante a viagem e decide que vai procurar uma igreja para frequentar e pedir ajuda a Deus.

Finalmente chegam à clínica e são recebidos por Raquel.

Elisa deixa Ronaldo no carro e vai até a recepção da clínica de tratamento para drogados.

– Oi, bom dia! Sou a Elisa, lá do escritório. Vim trazer meu marido, o Ronaldo.

Raquel interrompe Elisa.

– Olá, Elisa, bom dia para você também! Eu me chamo Raquel. Já estamos preparados para receber o Ronaldo. O doutor Arnaldo já tinha nos passado tudo.

– Ah, obrigada, Raquel!

– E onde ele está?

– Ele está no carro. Acho que bastante envergonhado.

– Vamos até lá, vou ajudar você a conversar com ele.

– Obrigada, Raquel!

Após caminharem até a área de estacionamento, Raquel e Elisa chegam ao carro.

– Bom dia, Ronaldo – diz Raquel se aproximando.

– Bom dia!

– Venha amor, vamos entrar.

– Eu posso falar com minha esposa só um segundo, senhora?

– Claro que sim, Ronaldo – diz Raquel se afastando.

Elisa se aproxima de Ronaldo, que abre a porta do carro e olha fixamente para ela:

– Querida, quero lhe pedir uma coisa.

– Sim, amor, o que é?

– Prometa-me que você vai cumprir o que combinarmos agora.

– Eu prometo – diz Elisa.

– Eu quero, em primeiro lugar, que você saiba que me esforço muito para me reerguer, mas é muito difícil para mim. Eu perdi meu pai e minha mãe de uma forma tão trágica, que não consigo esquecer. Sou filho único e herdeiro de nada, pois tudo o que tínhamos meu pai perdeu antes de morrer. Sou um homem fraco, não consegui dar a volta por cima. Hoje, você me traz para esta clínica na esperança de um recomeço. Eu prometo que vou tentar, vou fazer o melhor de mim. Mas se eu não conseguir, não me tire daqui, me deixe morrer.

– Pare de falar bobagens, Ronaldo! É claro que você vai conseguir. Eu te amo! E seus filhos lhe esperam sair daqui curado desse maldito vício.

– Prometa!

– Sim, prometo que só tiro você daqui quando você me disser que posso tirá-lo.

– Posso te abraçar?

– Claro, amor!

Ronaldo sai do carro e abraça carinhosamente Elisa.

As lágrimas são inevitáveis. Elisa chora, agarrada ao seu amado.

Ambos choram.

Ronaldo abraça ainda mais forte a mulher da sua vida.

Elisa e Ronaldo choram emocionados com a despedida.

– Meu amor, cuide-se. Cure-se por mim – diz Elisa, apaixonada.

– Eu vou vencer, Elisa. Eu te prometo!

Por alguns minutos eles ficam ali, abraçados. A emoção é mais forte.

Elisa sonha ter de volta o seu grande amor.

Raquel assiste a tudo bem próxima ao casal e intercede por Elisa. Em sua mão está a pequena mala com as roupas de Ronaldo.

– Vamos entrar, senhor Ronaldo? – diz a jovem.

Elisa desfaz o abraço de Ronaldo, que a segura pela mão direita.

– Até breve, meu amor! – diz Ronaldo chorando.

– Cure-se logo, Ronaldo... por nossos filhos.

– Eu vou vencer, Elisa.

– Estarei te esperando, meu amor.

Ronaldo vira-se de costas para Elisa e começa a caminhar em direção à porta de entrada da clínica.

Raquel acena dando um tchauzinho para Elisa.

É um momento muito triste para o casal.

Após Ronaldo entrar, Elisa entra no carro e fica a refletir sobre sua luta alguns minutos antes de dar a partida no veículo.

Logo ela se lembra dos compromissos e responsabilidades e se dirige de volta para sua empresa. Na viagem de volta ela faz uma reflexão sobre todos os fatos recentes que lhe causam tanta dor. Mas Elisa está decidida. Vai procurar uma igreja. Ela até se lembra da paróquia de São Sebastião, que fica próxima à sua casa. Decide que vai passar por lá para saber dos horários das missas e tudo mais.

"A dor nos aproxima do Altíssimo."

Osmar Barbosa

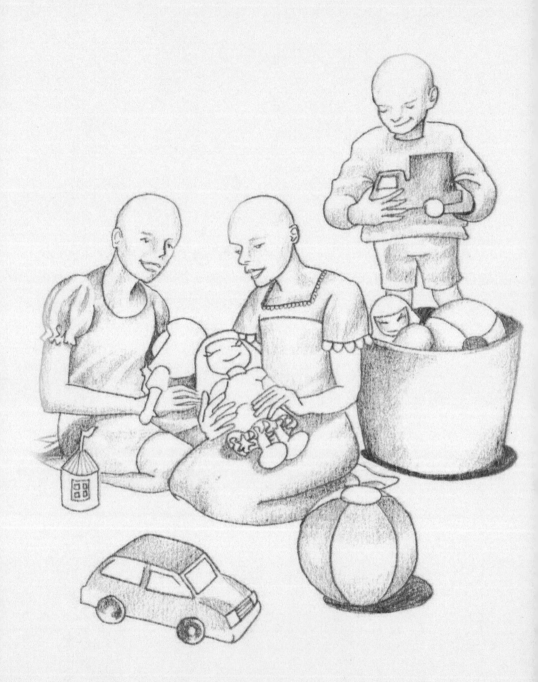

Laís

Um mês depois...

Helena, funcionária eficaz e amiga para todo momento, é a atual secretária de Elisa no escritório.

Helena bate suavemente à porta da sala de Elisa. O escritório cresceu, os negócios estão prosperando. Elisa já tem oito funcionários que a auxiliam no controle dos vinte e sete clientes.

– Elisa, com licença!

– Sim, Helena!

– Um pouco antes de você chegar ligaram da escola de Laís dizendo que ela não estava bem.

– Ué, por que não ligaram para o meu celular, meu Deus?!

– Parece-me que o seu celular está desligado.

– Deixe-me ver... Pega-o aí na minha bolsa, por favor, Helena.

Helena retira o celular da bolsa de Elisa, que está pendurada em um suporte para bolsas na entrada da ampla sala.

– Aqui está, Elisa.

– É, realmente está desligado. Faça-me um favor, Helena: liga para a escola e transfira a ligação aqui para o meu ramal.

– Pode deixar – diz a jovem saindo da sala.

Após alguns minutos o telefone toca.

– Obrigada, Helena, pode transferir.

– Alô!

– Elisa?

– Sim, sou eu.

– Aqui é a Carmen, coordenadora da escola da Laís, tudo bem?

– Sim, tudo bem. O que houve com a Laís?

– Ela teve uma pequena convulsão na sala de aula hoje.

– Como assim, convulsão?

– Não sei se você sabe, mas a Laís vive reclamando de dor de cabeça. Hoje ela reclamou comigo de novo. Tentei falar com você e não consegui. Hoje, não dei a ela o remedinho para dor de cabeça. Daí logo depois ela teve uma pequena convulsão. A médica aqui da escola a socorreu. Ela agora está bem, mas nós precisamos que você a leve a um hospital e faça alguns exames urgentes.

– Meu Deus! Estou saindo daqui agora do trabalho e vou pegá-la para levá-la urgente à sua pediatra.

– Está, bem Elisa, vamos lhe esperar.

Elisa desliga o telefone e põe as mãos na face.

– Meu Deus, proteja a minha filha! Que não seja nada grave!

Elisa se levanta, pega a bolsa e se dirige à sua secretária.

— Helena, vou ter que sair; preciso levar a Laís ao médico.

— Sim, Elisa.

— Anote os recados, como sempre faz. Se for alguma coisa urgente, ligue para o meu celular. Mas por favor, só se for urgente.

— Pode deixar, Elisa.

— Tchau, querida!

— Melhoras para a Laís!

— Obrigada, Helena!

Elisa desce ao estacionamento do prédio, onde fica seu escritório, e se dirige à escola.

Pouco tempo depois ela já está na clínica médica com a Laís.

— Olá, doutora!

— Boa tarde, Elisa! Como tem passado?

— Estou passando tudo aquilo que não desejo para ninguém neste mundo.

— A vida não está fácil para ninguém. O que tem a menina?

— A doutora da escola mandou este bilhete para a senhora.

Elisa entrega à médica um envelope com as recomendações da médica da escola.

Lorena é uma jovem médica que acompanha os filhos de Elisa desde o nascimento. Ela abre o envelope e lê o bilhete escrito pela médica da escola.

Sem falar nada, Lorena pede licença para preparar o exame de Laís.

– É grave, doutora?

– Não sabemos ainda, Elisa.

– O que dizia o bilhete?

– A médica da escola recomendou fazer uma tomografia da Laís.

– E você vai fazer?

– Sim, pelos sintomas apresentados pela menina, é necessária uma investigação mais apurada.

– O que pode ser?

– Eu não sei, espero que seja só uma suspeita.

– Suspeita de que, Lorena?

– Ainda não sabemos. Tenha calma!

– Como assim, tenha calma?

– A médica da escola me relatou que Laís sente dores de cabeça todos os dias e que ela teve uma convulsão hoje. Precisamos investigar. Ela não sente dor de cabeça em casa?

– Sim, sente. Mas eu dou um remedinho e logo passa.

– Então precisamos investigar essa dor de cabeça de todos os dias. Isso não é normal.

– Eu acho que Laís precisa usar óculos.

– Pode ser, mãe, pode ser. Mas isso não dá convulsão. Vou internar a Laís para que possamos fazer todos os exames.

– Isso é realmente necessário?

– Preciso fazer uma bateria de exames nela. Só internando eu consigo isso. Mas fique sossegada; assim que terminar todos os exames, se nada de grave se apresentar, eu dou alta ainda hoje para ela voltar para casa.

Laís se aproxima de Elisa e a abraça.

– Mamãe, a médica tem razão. É melhor eu ficar aqui, deitadinha, enquanto ela procura o remédio certo para mim.

– Viu, Elisa, até a Laís sabe o que é melhor para ela – diz a médica se aproximando.

– Está bem, doutora!

– Vou preparar tudo. Com licença.

– Obrigada, Lorena!

– De nada, querida!

– Venha, Laís, preciso ligar para a Josefa ir pegar seus irmãos na escola.

Elisa liga para casa e pede a Josefa para pegar as crianças na escola, que fica muito próxima à sua casa.

Laís é internada. Um grupo de médicos se dedica a descobrir o que a menina tem. A investigação se aprofunda. Vários exames são feitos.

Elisa permanece sentada na recepção da clínica aguardando notícias.

As horas passam.

Depois de mais de cinco horas de exames, acompanhada do doutor Jardel, Lorena procura Elisa para uma conversa.

Elisa está sentada, distraída, lendo uma revista.

– Elisa! – diz Lorena se aproximando.

Elisa se levanta rapidamente, assustada com a presença do médico.

– Oi, desculpe-me, eu estava distraída.

– Esse é o doutor Jardel.

Elisa estende a mão para cumprimentar o médico.

– Muito prazer, Elisa! – diz o rapaz.

– Nós precisamos conversar com você. Vamos até minha sala, por favor – diz Jardel.

– Sim.

Elisa, Lorena e Jardel se dirigem a uma sala onde os médicos conversam com seus pacientes.

– Sente-se, Elisa – diz Jardel mostrando-lhe uma cadeira.

Lorena senta-se ao lado de Elisa.

Seu coração começa a bater mais forte. Elisa percebe que há algo de errado com Laís.

– O que houve, doutor?

– Como a Lorena já lhe disse, me chamo Jardel, sou oncologista aqui do hospital.

– Sim.

– Fizemos todos os exames necessários em Laís. Infelizmente as notícias não são boas.

– Meu Deus!

– Fique calma, Elisa! – diz Lorena segurando-lhe as mãos.

– O que a Laís tem, doutor?

– A Laís tem um tumor na cabeça.

– Meu Deus! – diz Elisa, desesperada.

– Tenha calma, ainda bem que nós o detectamos a tempo. Vamos iniciar imediatamente o tratamento quimioterápico. E assim que for possível, realizaremos a cirurgia para a retirada do tumor. Claro, se for possível.

– Meu Deus! Minha filha, doutor, só tem nove anos!

– Muitas outras crianças, assim como Laís, sofrem com o câncer nesta idade. Lamento, Elisa. Prometo que farei o possível para salvar a vida da pequena Laís.

– Ela pode morrer, doutor?

– Sim. Na verdade, se não conseguirmos diminuir o tumor ela não sobreviverá.

Elisa começa a chorar.

Lorena se levanta, pega um copo com água e volta rapidamente para perto de Elisa.

– Beba, Elisa, beba! – diz a médica.

Trêmula, Elisa toma o copo em suas mãos e bebe toda a água.

– Nós a sedamos para iniciarmos o tratamento. Ela ficará na UTI. Você poderá ficar com ela daqui a aproximadamente duas horas. Eu a aconselho a ir para casa, tomar um bom banho e trazer algumas peças de roupa para ela. Traga pijamas – diz Jardel.

– É, Elisa, faça isso – diz Lorena.

– Eu não posso vê-la agora?

– Ela está sedada, como lhe falei. Foi necessário sedar a menina para a realização da tomografia. Ela estava muito agitada.

– Está bem, doutor, vou até minha casa e volto o mais rápido possível. Pode deixar que eu trago os pijaminhas dela.

Um turbilhão de coisas se passa na cabeça de Elisa naquele momento.

"Como assim, um câncer? Por que com ela? Por que Laís? E Ronaldo, será que ele vai suportar isso? Quem vai me ajudar agora?"

Elisa sai do hospital caminhando lentamente em direção ao seu carro e fica sem saber para onde ir. Ela chega ao estacionamento, entra no carro e começa a chorar. A tristeza invade o seu coração.

"O que faço agora, meu Deus? E as crianças, como vou viver sem a Laís?"

Elisa chora até que seu telefone toca.

Nervosa, trêmula e secando as lágrimas, ela atende, pois vê que é o número de sua casa.

– Alô!

– Mãe?

– Sim!

– Sou eu, Laura.

– Oi, meu amorzinho!

– Você está chorando?

– Não, a mamãe só está triste.

– Por que você está triste, mamãe?

– Eu tive um dia ruim, meu amor, só isso.

– Mamãe, como está a Laís?

– Ela está bem, querida!

– Você está com ela no hospital?

– Sim, a mamãe está aqui no hospital com a Laís.

– Mãe!

– Sim, meu amor!

– Proteja-a para mim.

– Está bem, meu amor, a mamãe vai proteger a Laís.

– É que vi um anjo essa noite no quarto dela; e ele queria levá-la para morar com ele lá no céu.

Elisa retém o choro com muita dificuldade.

– A mamãe deveria te ouvir mais, não é, Laurinha?

– Proteja-a, mamãe, senão eles vão levá-la para morar no céu.

– Pode deixar, amor, a mamãe vai proteger a Laís e ninguém vai levá-la para morar no céu.

– Vem logo para casa, mãe!

– A mamãe já está indo.

– Então vou te esperar.

– Está bem, filha! Espera, que a mamãe já está indo – diz Elisa desligando o telefone.

Lágrimas não param de escorrer pelo belo rosto de Elisa. Uma tristeza profunda invade o seu coração.

Elisa decide passar na igreja para conversar com Deus e rezar por Laís. Ela estaciona o veículo e entra na igreja para rezar.

– Nossa, faz tanto tempo que eu não entro em uma igreja, que até já me esqueci como é esse lugar.

Elisa senta-se próximo ao altar. Por alguns instantes ela não sabe o que fazer. Resolve então ajoelhar-se e conversar com Deus. Pede por Laís e por Ronaldo, implora a Deus pela sua filha. Após meia hora ela decide ir embora.

"Parece que desaprendi a rezar", dizia ela em seus pensamentos.

Logo ela estará em casa. Laura e Felipe estão dormindo. Josefa tinha preparado um lanche para Elisa e a esperava sentada na cozinha. Após ver os filhos, Elisa se dirige à cozinha para beber água e encontra Josefa com a cabeça abaixada presa entre as mãos.

– Oi, Josefa! O que você está fazendo? Está orando?

– Estou rezando por você e pelas crianças, querida!

– Acabei de vir da igreja.

– Você na igreja?! Que milagre é esse?

– Não é milagre, Josefa. Não é milagre...

– O que houve com a Laís?

– Ela tem um tumor na cabeça.

– Um tumor?!

– Sim, um tumor maligno na cabeça. Os médicos vão começar os tratamentos, mas não me garantiram nada.

– Meu Deus de amor, olhai pela Laís! – diz Josefa.

– Peça a esse seu Deus que salve minha filha, pois estive na igreja e descobri que desaprendi a rezar. Fiquei lá igual a uma idiota sem saber o que dizer e sem saber o que pensar.

– Elisa, falar com Deus não requer muita coisa. Falar com Deus é como falar com os filhos de Deus, simples, com palavras doces e com a voz serena. É assim que se fala com Deus.

– Então Ele não ouviu as minhas preces na igreja, porque minha vontade era gritar com Deus e dizer a Ele que Ele não está sendo justo comigo. Estou perdendo tudo o que amo e que amei nessa desgraça de vida. Esse Deus que deixa um tumor nascer na cabeça de uma menininha tão doce como a Laís não é justo.

— Deus há de olhar por Laís. Isso vai passar, Elisa. Vai passar. Confie em Deus.

— Estou tentando, Josefa, estou tentando. Vou tomar um banho e voltar para o hospital. Separe alguns pijaminhas da Laís, que vou levar, por favor.

— Pode deixar, dona Elisa.

Após catorze dias de tratamento, durante toda a madrugada, Laís teve convulsões e precisou ser entubada.

Logo cedo Jardel decide que terá de fazer um intervenção cirúrgica para tentar salvar a vida da menina.

Elisa é chamada à sala dos médicos.

— Bom dia, Elisa!

— Bom dia, doutor!

— Como você pôde acompanhar, a noite foi muito difícil para Laís.

— É, doutor, estou começando a perder as esperanças.

— Realmente as chances dela são muito pequenas. O tumor é muito grande e está enraizado por quase toda a cabeça. O risco cirúrgico é de noventa por cento. Não há muito o que fazer.

— Minha filha vai morrer, não é, doutor?

– Estou disposto a tentar a cirurgia, mas os efeitos colaterais serão devastadores para ela.

– Ela vai ficar aleijada, é isso?

– Sim, ela não vai mais falar, nem caminhar. O tumor está em uma região que afeta muita coisa na menina.

– Então é melhor não operar – diz Elisa.

– A decisão é sempre dos pais.

– Não há nada que podemos fazer para salvá-la?

– Só um milagre, Elisa, infelizmente.

Lorena se aproxima e abraça Elisa.

– Se você quiser, Elisa, posso deixar que fique ao lado dela nesses últimos momentos.

– Eu posso me despedir dela?

– Sim, querida! – diz Lorena.

Elisa é levada à UTI e fica a segurar as frágeis mãos de Laís que aos poucos vai deixando seu corpo, partindo para a vida eterna.

Muita tristeza envolve todos do hospital. Afinal, foram só catorze dias que Laís tentou livrar-se do câncer.

Laís morre nos braços de Elisa.

Enfermeiras e médicos choram a morte da doce menina que em pouco tempo conquistou tantos corações.

Elisa precisa avisar Ronaldo do ocorrido.

"E agora, o que fazer? Será que ele vai suportar isso?"

Ela decide enterrar a filha primeiro, e depois ir até a clínica para contar a Ronaldo tudo o que aconteceu.

"Ele é um homem fraco", diz Elisa em seus pensamentos. "Tenho medo da reação dele. Estou tão frágil. Me ajuda, Jesus..."

"É na dor que conhecemos os mistérios de Deus."

Daniel

A vida escreve

Elisa decide ir à clínica para visitar Ronaldo e dar-lhe a notícia, contar-lhe da morte da filha mais velha.

Após duas horas de reflexão, enquanto dirigia seu carro em direção à clínica, Elisa finalmente chega ao lugar e se dirige à recepção.

– Olá, Elisa!

– Oi, Raquel!

– Veio ver o Ronaldo?

– Sim.

– Acho melhor você conversar com o médico dele primeiro.

– O que houve?

– O Ronaldo não anda bem, Elisa. Ele não tem reagido muito bem ao tratamento.

– E onde está o médico dele?

– Espere aí na sala de atendimento, que vou chamá-lo.

– Obrigada, Raquel!

Elisa se dirige a uma pequena sala da clínica e fica aguardando o médico de Ronaldo.

Raquel volta e traz ao seu lado o doutor Arnaldo.

– Bom dia, Elisa!

– Bom dia, doutor Arnaldo!

– Então, podemos conversar, Elisa?

– Sim, claro!

– Então vamos até minha sala, lá é melhor – diz o médico.

– Sim – diz Elisa se levantando.

Arnaldo caminha na frente seguido por Elisa.

Ao chegar à sala do médico, ele prontamente fecha a porta e indica a Elisa uma cadeira para sentar-se.

– Então, como está, Elisa?

– Nada bem, doutor. Acabei de enterrar minha filha, vítima de um câncer agressivo na cabeça.

– Lamento muito, Elisa! Fiquei sabendo pela direção da clínica.

– É... Eles são meus clientes.

– Quero parabenizá-la por não ter trazido esse problema para o Ronaldo. Ele, certamente, não suportaria mais essa perda.

– Mas isso muito me angustia. Não é justo um pai não saber da morte de sua filha.

– Elisa, nosso maior problema com o Ronaldo foi traçarmos o diagnóstico correto de sua doença. Após todos esses meses de estudo e acompanhamento, felizmente chegamos a um resultado preciso. O Ronaldo sofre de transtorno obssessivo compulsivo, que popularmente é chamado de TOC.

– E o que é isso, mais precisamente?

– O paciente que sofre de TOC tem ideias obsessivas. Ele cria imagens que vêm à sua mente, independentemente de sua vontade, repetidamente. Estamos elaborando um tratamento mais radical para ele. Vamos precisar fazer dois tipos de tratamento: um psicoterápico e outro medicamentoso.

– E ele vai ficar bom, doutor?

– Não, essa doença não tem cura. Ele vai depender de medicamentos pelo resto da vida.

– Meu Deus! – desaba Elisa.

Seus ombros caem sobre seu corpo demonstrando cansaço com as coisas terríveis que não param de acontecer.

– Eu lhe aconselho a não contar nada sobre a morte da menina. Ainda não. Ele pode surtar – diz o médico.

– Eu não vou contar.

– O senhor tem alguma expectativa de alta para ele, doutor Arnaldo?

– Ainda não, vamos iniciar ainda esta semana o tratamento. Assim que ele melhorar, eu lhe aviso.

– Posso vê-lo?

– Sim, vamos até o quarto dele.

— Obrigada, doutor!

Elisa é levada para encontrar-se com Ronaldo. Ao chegar ao quarto ela se assusta com a aparência do seu amado. Ele está magro demais. A barba lhe cobre todo o rosto. Mal se podem ver as bochechas do rapaz. Ronaldo fica olhando para Elisa como se não a conhecesse. Por alguns segundos ele fica perturbado com a presença dela.

Elisa se aproxima de Ronaldo e o abraça.

Inerte, ele não devolve o abraço carinhoso de sua amada.

— Ronaldo, você não está me reconhecendo?

— Estou sim, Elisa. Eu estou te reconhecendo.

— Então por que você não me abraça? Você não está com saudades de mim?

— Por que você a deixou morrer?

— Quem, Ronaldo? Quem eu deixei morrer?

— Eu sei de tudo, Elisa. Laís morreu no hospital.

— Como você soube disso, Ronaldo?

— As enfermeiras me contaram, Elisa. Elas me disseram que a minha filha havia morrido de câncer na cabeça.

Elisa começa a chorar e se senta.

— Eu não tive culpa, Ronaldo. Sofri junto dela até seu último suspiro de vida. Acompanhei todo o sofrimento de nossa filha. As quimioterapias... Ela ficava muito enjoada e vomitava durante o dia e a noite inteira e eu nada podia fazer. Sofri cada segundo ao lado de nossa filha.

– Você podia ter me avisado, Elisa.

– Perdoe-me, Ronaldo, mas eu quis poupá-lo dessa dor.

– Agora a vida não tem mais sentido para mim, Elisa. Sem a Laís e sem os meus pais nada mais importa.

– Não diga isso, amor! – diz Elisa, abraçando Ronaldo.

– Não quero mais viver, Elisa.

– Nós ainda temos o Felipe e a Laura.

– Cuide bem deles por mim, Elisa. Eu não quero mais viver.

– Pare de falar bobagens, homem! Pelo amor de Deus!

– Você quase não vem me ver mais, Elisa; eu vivo aqui sozinho.

– Eu tenho que ser o homem e a mulher da casa, Ronaldo. Tenho que trabalhar e pagar todas as despesas. Você pensa que é fácil para mim fazer tudo isso sozinha? Eu não suporto mais tanto sofrimento, Ronaldo. Eu vivo sozinha.

– Eu vou morrer e você vai poder arrumar outro marido e buscar a sua felicidade.

– Pare de falar bobagens, homem! Por que, em vez de falar isso, você não se recupera logo e volta para casa para me ajudar? Por que você não se dedica a melhorar e me ajudar a criar seus filhos? Você sabe que eu te amo.

– Eu sou um homem doente, Elisa; desde menino meus pais cuidaram de mim. Agora eu não tenho mais os meus pais.

– Ronaldo – diz Elisa se levantando e abraçando seu amado.

Durante alguns segundos ambos ficam abraçados e em silêncio.

– Olha, quero que você saiba de uma coisa: eu te amo muito, você é o meu marido. Eu vou continuar a lutar por você. Nunca, mas nunca mesmo eu vou desistir de você. Cuide-se, tome os remédios indicados pelos médicos e fique bom logo. Eu estarei sempre aqui ao seu lado, meu amor.

Ronaldo não fala nada e permanece com o olhar perdido.

Elisa arruma o quarto e deita-se ao lado do marido. Eles permanecem assim por mais de uma hora, calados um ao lado do outro, ambos olhando para o teto.

Elisa se levanta, beija a face de Ronaldo e vai embora.

Dois dias depois ela recebe um telefonema da clínica informando que Ronaldo acabara de suicidar-se. Ele se enforcou no banheiro.

Desesperada, ela segue para a clínica, mas nada pode fazer.

Elisa fica sozinha com Felipe, Laura e Josefa.

No enterro de Ronaldo, poucos amigos compareceram para se despedir do filho do empresário golpista que faliu toda a família.

O tempo passa.

"O único bem que levamos da vida material é o amor que semeamos ao nosso redor."

Osmar Barbosa

Um dia a mais

Elisa está sentada, tomando uma xícara de café, sozinha na cozinha de seu apartamento. Ela vive a vida como se esperasse a morte; afinal, o que mais lhe poderia acontecer?

Felipe agora tem onze anos, é o melhor aluno da escola, um menino muito estudioso e alegre. Laura tem doze anos e sonha ser bailarina. Elisa segue sozinha administrando o seu negócio que não para de crescer. Financeiramente ela já está resolvida. Josefa está velha, mas ainda é sua governanta.

É sábado. As crianças estão na casa de amigos. Elisa está sozinha.

Seu telefone celular toca. Elisa olha e vê um número estranho, mesmo assim resolve atender.

– Alô!

Uma voz masculina responde do outro lado da linha.

– Elisa!

– Sim!

– Sou eu, Fernando!

– Fernando! – diz Elisa, surpresa.

– Sim, Fernando, da barraca de doces!

– Meu Deus, quanto tempo, Fernando!

– Realmente estou sumido.

– Por onde tem andado, menino?

– Trabalhando muito, e você?

– Também... tenho trabalhado bastante.

– Onde você está?

– Em casa.

– E as crianças, como estão?

– Elas estão bem.

– Liguei para você para saber das coisas.

– Após a tempestade que enfrentei sobraram ainda alguns sentimentos que procuro preservar no meu coração.

– Mas o que houve?

– Ih, Fernando! Se eu começar a contar, certamente passaremos o dia ao telefone.

– Como está o Ronaldo?

– Ele morreu.

– Morreu, como assim?

– Ele se suicidou, Fernando.

– Perdoe-me a pergunta então, Elisa.

– Não se preocupe.

– Podemos marcar um jantar ou um almoço para conversarmos... O que acha?

– Acho que vai ser bom. Sempre que estou com você me sinto feliz. E estou precisando de um pouco de felicidade.

– Você ainda mora no mesmo lugar?

– Sim, no mesmo apartamento.

– Se você não se incomodar, posso passar aí mais tarde para te pegar para jantarmos, o que acha?

– Oito horas está bom?

– Combinado, eu passo aí às oito.

– Beijos!

– Beijos, Elisa!

Elisa desliga o telefone e sente uma alegria em seu coração, algo que havia muito tempo não sentia.

Ela termina o café e decide ir para o quarto se preparar para o encontro. Josefa observa tudo, feliz em ver Elisa se arrumando para sair num sábado à noite. Às oito em ponto Fernando está na portaria do prédio à espera de Elisa.

– Josefa, toma conta das crianças. Vou sair para jantar com um amigo – diz Elisa.

– Pode deixar, Elisa. Divirta-se!

– Obrigada, Josefa!

– Vá, minha filha, e aproveite a noite.

Elisa desce no elevador e se encontra com Fernando que elegantemente a aguarda com um pequeno buquê de flores amarelas na recepção do prédio.

Ao perceber a chegada de Elisa, Fernando fica de pé.

– Boa noite, Elisa! – diz Fernando.

– Oi, Fernando!

Ele então lhe oferece as flores.

– Obrigada, Fernando, são lindas.

– Podemos ir?

– Sim, você tem carro?

– Sim, está estacionado lá fora.

– Então vamos – diz Elisa, sorridente.

Fernando leva Elisa para jantar em um luxuoso restaurante, onde já havia reservado uma mesa.

O *maitre* do restaurante leva-os para sentarem perto de uma janela que dá vista para o mar. Elisa se sente feliz.

– Lindo esse lugar!

– Você gostou?

– Sim, deve ser caro aqui, Fernando.

– Não sei se lhe falei, mas me formei; agora sou advogado.

– Sim, você me falou da última vez que estivemos juntos.

– Você me falou do Ronaldo... Fiquei chocado com a notícia.

– É, ele teve alguns problemas psicológicos após a morte dos pais. Enfrentou uma enorme depressão. Quando tentei ajudá-lo já era tarde. O senhor Joir, antes de morrer, comprometeu todo o dinheiro da família. Passamos maus bocados naquela época.

– Se você não quiser falar disso não tem problema, Elisa.

– Falar disso me faz até muito bem, todos os nossos amigos acham que fui a culpada pela morte do Ronaldo. Por isso vivo sozinha, ninguém nunca mais me procurou.

– Mas pelo que está me contando você fez tudo por ele.

– Eu peguei aquele homem bêbado e falido deitado em um banco de praça, drogado e sujo como um mendigo. Eu o levei para a melhor clínica de tratamento a viciados. Ninguém sabe, mas até hoje eu pago a conta da clínica, que não foi barata. Os amigos... Ah, os amigos! Amigos só tivemos enquanto tínhamos dinheiro. Quando tudo aconteceu e as pessoas viram que não tínhamos mais nada, desapareceram da nossa vida. Isso sim, foi um dos motivos que mataram o Ronaldo.

– Pessoas são assim, Elisa.

O garçom se aproxima e Elisa e Fernando decidem tomar uma garrafa de vinho tinto.

Logo eles começam a beber. Elisa se distrai.

– Você está pensativa, Elisa – diz Fernando após longo silêncio na mesa.

– Perdoe-me, Fernando, eu estava pensando em Laís.

– Eu estive no enterro dela.

– Como assim? Não me lembro ter visto você por lá.

– Estávamos tão tristes, que eu não tive coragem de lhe perturbar.

– Como assim, estávamos tão tristes?

– Eu e você estávamos tão tristes, que eu não quis te incomodar. Acompanhei todo o seu sofrimento. Eu visitava a Laís quase todos os dias quando você saía para ir ao escritório. Me vesti de palhaço para alegrar as crianças da oncologia, fiz isso só para tirar um sorriso de Laís.

Elisa começa a chorar, emocionada.

– Por que você fez isso, Fernando?

– Eu queria alegrar o coraçãozinho dela.

– Meu Deus! Só agora enxergo que havia vários anjos em minha vida.

– E tem mais, Elisa...

– E tem mais o que, Fernando?

– Todos os clientes que hoje estão na carteira da sua empresa são clientes meus que ajudei e pedi que te ajudassem.

Elisa chora. Fernando se aproxima e a abraça com carinho.

– Perdoe-me por não ter lhe contado isso antes. Mas sempre esperei por este dia.

– Você e Ângela foram meus anjos bons.

– Estamos ligados por muitas existências, Elisa – afirma Fernando.

– Só pode ser isso mesmo, Fernando. Não há outra explicação para tanto amor envolvido.

– Sim. Eu estava atrás de você naquele dia que você foi à igreja, você se lembra?

– Sim, foi o dia em que me deram a notícia sobre a Laís.

– Pois bem, eu entrei na igreja com você e me sentei lá no fundo. Fiquei lá por horas orando a Deus por você e pela Laís.

– Meu Deus! Nunca eu poderia imaginar que você tivesse feito isso.

– Há muitos mistérios em nossa vida, Elisa.

– Nunca fui muito boa em religião. Mas se eu olhar para a minha vida, percebo nitidamente que algo ou alguém sempre olhou por mim.

– Não estamos sozinhos neste universo de luz, Elisa.

– Você tem alguma religião, Fernando?

– Sim, eu sou espírita.

– A minha mãe estava estudando o espiritismo antes de morrer.

A Josefa me contou isso. Acho que ainda têm alguns livros sobre isso lá em casa – diz Elisa, secando as lágrimas com os polegares.

– Por que você está chorando de novo, Elisa?

– Não sei. Ou melhor, acho que sei.

– Então diga!

– Não é todo dia que encontramos com nosso anjo da guarda, não é?

Risos.

– Desde menino que estou ao seu lado e espero ficar para sempre assim. Dona Mirtes sempre me disse que a vida só é bela quando vivemos por um motivo.

– Minha mãe era realmente uma pessoa muito especial.

– Foi ela quem me apresentou o espiritismo. Você não sabia, mas às quartas e quintas-feiras nós fechávamos a barraca de doces mais cedo e íamos para o centro espírita estudar.

– Mamãe nunca me falou disso.

– Ela não queria lhe atrapalhar; afinal, você precisava estudar na faculdade.

– Tenho saudades dela, Fernando.

– Ela também deve ter saudades de você.

– Vamos comer? – pergunta Elisa.

– Sim, vamos escolher nosso jantar.

A noite é alegre e divertida. Após o jantar, Elisa e Fernando decidem caminhar pelas alamedas floridas de São Paulo. É uma noite quente de verão e eles estão muito felizes.

"Para enfrentar as batalhas mais difíceis, Deus escolhe Seus melhores soldados."

Osmar Barbosa

O Tropeço

Domingo...

Elisa é acordada por Felipe, que lhe pede para ir à praça jogar bola com os amigos.

– Mãe, vamos à praça?

– Que horas são, Felipe?

– São quase nove horas, mãe. Eu quero jogar bola com meus amigos.

– Está bem, me deixe trocar de roupa que já vou.

– Está bem, espero você lá embaixo no prédio.

– Está bem, desça e me espere lá, não vai para rua, é perigoso. Cadê a sua irmã?

– Ela está dormindo ainda!

– Então me espera lá embaixo. Já tomou o café, Felipe?

– Já, mamãe, a Josefa já me deu.

– Então já estou indo – diz Elisa se levantando e ajeitando os cabelos.

Elisa decide tomar uma ducha antes de sair. Felipe desce para o *play* a fim de brincar com sua bola antes de irem para a praça.

Após alguns minutos Elisa ouve uma freada brusca e um estrondo vindo da parte de baixo do prédio. Parece um acidente de carro.

O pior aconteceu: Felipe deixou a bola escapar pela grade do prédio e invadiu a rua para pegá-la. Um carro que vinha descendo a rua atropela o menino que agoniza debaixo do veículo. Moradores correm para socorrer o menino. Pelo interfone, Elisa é avisada da tragédia e desce correndo para socorrer Felipe.

– Ali, dona Elisa! Ele está ali, embaixo do carro.

– Gente, pelo amor de Deus, precisamos tirar esse carro de cima do menino! – diz o porteiro, desesperado.

A motorista do carro está em estado de choque e mal consegue falar. A polícia foi acionada. Os bombeiros, também. O desespero é grande. Um grupo de homens que se ajuntou para assistir ao ocorrido resolve levantar o carro e puxar Felipe, que está embaixo dele. A ideia é boa e funciona.

Felipe é retirado desmaiado de sob o veículo. Elisa toma seu filho no colo e pega seu carro para levá-lo a um pronto-socorro.

A sirene da ambulância é ouvida por todos. Elisa é aconselhada a esperar pelo socorro tão próximo.

Felipe respira com dificuldade.

– Não me deixe, filho, pelo amor de Deus! – diz Elisa, desesperada.

Aparentemente Felipe está bem, não há feridas; pernas e braços apenas apresentam pequenas escoriações, mas não estão quebrados.

Logo um médico e seu auxiliar se aproximam correndo na direção de Elisa, que ao perceber a chegada da equipe, senta-se na calçada. Elisa então entrega Felipe para o doutor que acaba de chegar.

– O que houve, senhora?

– Eu não sei. Eu estava tomando banho e escutei o barulho da freada, e logo senti que tinha acontecido alguma coisa com meu filho.

– Vamos imobilizá-lo e removê-lo para o hospital mais próximo, senhora. Fique calma, ele parece bem.

– Obrigada, doutor!

Felipe é colocado em uma maca e levado para a ambulância. Elisa permanece do lado de fora do veículo esperando autorização para entrar e seguir com o menino para o hospital.

Josefa chega trazendo à mão a bolsa de Elisa e um casaco.

– Ele está bem, Elisa?

– Sim, Josefa, o médico disse que ele está bem!

– Vá com ele para o hospital, deixa que eu cuido da Laura.

– Ela acordou?

– Não, ainda não.

– Não fale nada com ela, Josefa. Quando eu voltar converso com ela.

– Pode deixar, senhora. Eu vou rezar pelo meu menino. Por que tudo isso acontece com você, Elisa? Por que tantas perdas, minha menina?

– Vira essa boca para lá, Josefa, o Felipe está bem. Ele não vai morrer.

– Deus é maior, filha!

– Vai ficar tudo bem, eu posso lhe garantir.

– Oh, glória, Senhor! – diz Josefa com as mãos ao peito.

O médico se aproxima de Elisa e pede-lhe que entre na ambulância.

– Vamos, senhora. Ele já está imobilizado.

– Aonde posso me sentar?

– Ao lado dele dentro da ambulância, senhora.

– Obrigada, doutor!

Cortando o terrível trânsito da cidade, Elisa e Felipe chegam finalmente ao hospital. Imediatamente Felipe é levado para o setor de trauma onde é submetido a muitos exames.

Elisa senta-se na recepção e fica à espera de notícias do menino.

Fernando se aproxima de Elisa.

– Oi, Elisa!

Em lágrimas, ela "voa" nos braços do amigo.

– Tenha calma, Elisa – diz Fernando abraçando-a.

Elisa começa a chorar.

– Calma, Elisa, ele vai ficar bem!

Após alguns minutos, ela se refaz e senta-se em uma das cadeiras da recepção do hospital.

Fernando senta-se ao lado dela e lhe toma as mãos.

Com o olhar perdido, Elisa fica por alguns minutos em silêncio.

Fernando respeita o momento de Elisa.

– Sabe, Fernando, não sei o que será da minha vida se eu perder o Felipe.

– Não diga uma bobagem dessas, Elisa!

– Minha vida tem sido de muitas perdas, de muita dor. Perdi mamãe muito cedo. O meu marido se suicidou. Eu nunca soube quem foi o meu pai verdadeiro. Perdi o meu futuro quando o senhor Joir perdeu todas as empresas da família. Perdi minha filha Laís lutando contra um câncer. Agora estou aqui, muito perto da morte novamente.

– Que tolice, Elisa! O Felipe vai sair dessa numa boa, você vai ver.

– Estou cansada de lutar sozinha, Fernando. Estou fraca, sem estímulos, sem forças, sem coragem.

– Eu estou aqui.

– Eu sei que posso contar com você. Você é um anjo que Deus, ou sei lá quem, colocou na minha vida. Você sempre está por perto nas horas mais difíceis da minha vida. E eu só tenho a lhe agradecer, meu amigo.

– Nossas vidas foram traçadas mesmo antes de existirem, Elisa.

Hoje, sei que a ligação que temos é de outras vidas. Sei que você não acredita nisso.

– Respeito sua religião, Fernando, mas eu não acredito nisso.

– Não tem problema. Vou continuar aqui ao seu lado sempre que você precisar de mim.

– Você é tudo o que eu preciso para continuar, Fernando.

– A recíproca é verdadeira, Elisa.

– Você se lembra daquele dia em que me levou para jantar?

– Sim, eu me lembro, Elisa.

– Pois bem, depois da terceira garrafa de vinho até cheguei a me imaginar deitada em uma cama com você.

– Eu sempre sonhei com isso, Elisa.

– Só eu sei, Fernando, o quanto você é importante para mim. Obrigada por tudo isso que você faz por mim!

– Estou aqui, Elisa.

– Eu também, Fernando.

– Fique sentadinha aqui. Eu vou até o balcão para saber se tem alguma notícia do Felipe – diz Fernando.

– Está bem!

Assim ele vai até o balcão e conversa com a atendente. Ela lhe informa que o médico já está vindo para conversar com a família. Fernando agradece e volta a sentar-se ao lado de Elisa.

– Ela me disse que o médico já está vindo para conversar conosco.

– Estou muito preocupada com Felipe!

– Eles não deixaram você acompanhar os procedimentos, não?

– Eu fiquei com ele por algum tempo, mas o médico o levou para o terceiro andar para realizar uma tomografia de corpo inteiro, daí eu desci e você chegou.

– Mas por que uma tomografia?

– Não sei, o médico desconfiou de alguma coisa na coluna dele.

– Vamos esperar então pelo resultado – diz Fernando.

O médico aparece e faz um sinal chamando Elisa.

Ela e Fernando se dirigem a uma sala indicada pelo médico.

– Boa tarde, doutor – diz Fernando.

– Boa tarde, o senhor é o pai?

– Não senhor, sou só um amigo.

– Entre, senhora, por favor! – diz o médico.

Elisa senta-se, e Fernando senta-se ao seu lado. O médico senta à frente dos dois com um papel e uma caneta nas mãos.

O papel é uma foto da ultrassonografia da coluna de Felipe.

– Elisa... É esse o seu nome, senhora?

– Sim, doutor!

– Deixe-me lhe explicar o ocorrido: o Felipe está bem e fora de perigo.

– Ah, que bom, doutor! – diz Elisa, aliviada.

– Mas ele sofreu uma grave lesão na coluna.

– E quais são os riscos, doutor? – pergunta Fernando.

– No momento ele está paraplégico.

Elisa desaba em choro.

– Meu Deus, como assim, paraplégico?

– Ele teve o fluxo da medula interrompido devido ao esmagamento de algumas vértebras. No momento é o que sabemos. Pode ser que haja uma modificação após alguns dias do trauma. Ele pode até mesmo voltar a andar. No momento eu não recomendei a cirurgia por estar muito recente a lesão. Vamos acompanhar, e muito em breve eu darei um diagnóstico definitivo.

– Se é isso que temos que passar, iremos enfrentar com muita fé, coragem e amor, doutor – diz Fernando.

– Meu menino... Ele gosta tanto de jogar futebol – diz Elisa.

– Tenha calma, senhora! O quadro ainda pode se reverter. Já tomei todas as providências nesse sentido.

– Obrigado, doutor! – diz Fernando.

– Obrigada, doutor! – diz Elisa.

– Vou mandar que tragam-no para a enfermaria. Você pode esperar por ele no quarto.

– Obrigada, doutor! – diz Elisa.

O médico sai para providenciar a transferência de Felipe. Elisa e Fernando se dirigem ao quarto para esperar o menino.

Após algum tempo, Felipe chega desacordado ao quarto. Elisa senta-se ao lado do menino e passa a acariciar-lhe a cabeça.

Fernando permanece no hospital ao lado de Elisa e Felipe.

"A encarnação é o mais justo mecanismo da evolução."

Osmar Barbosa

O encontro com Deus

Elisa acorda cedo e prepara Felipe para um dia no parque. Carinhosamente, ela havia preparado com Josefa na noite anterior, um piquenique para Felipe. Bolos, pães, pequenos sanduíches, chocolate quente, refrigerante, balas e biscoitos. Elisa fez tudo com muito carinho, afinal Felipe vem se recuperando bem, os médicos apostam na recuperação total do menino. Ele ainda depende da cadeira de rodas para se locomover. Em uma bolsa Elisa leva um presente muito especial, afinal hoje é aniversário do menino que pediu de presente um dia no parque com a mãe, Josefa e Laura.

Josefa, velha e cansada, já não consegue acompanhar as peripécias dos adolescentes. Felipe completa hoje catorze anos de idade.

Alguns de seus amigos combinaram comparecer ao evento no parque. Amigos da escola, do centro de reabilitação e amigos de Laura. Felipe é um excelente nadador.

Elisa está feliz. A vida começa a dar sinais de estabilidade e melhora. Seu coração está vazio. Ela vive para os filhos.

Elisa, Laura e Felipe estão na garagem do prédio arrumando o carro para saírem. Nesse momento o porteiro procura Elisa e lhe entrega um envelope lacrado, grande e branco.

Na frente está escrito: *Para Elisa, de Fernando*.

Ela agradece ao porteiro e coloca o envelope sobre o painel do carro. Após tudo estar pronto ela segue para o local combinado da festa de Felipe.

Logo tudo está arrumado e todos estão felizes. Os amigos riem das piadas contadas por Felipe. Laura já tem um namoradinho que fica a todo tempo ao lado dela.

Elisa caminha pelo parque com as mãos para trás, entre as flores que caíram dos lindos flamboaiãs vermelhos durante a noite. Enquanto caminha, lembra-se da carta e volta ao carro para pegá-la.

Sentada à sombra das árvores, ela abre o envelope para ler. Percebe que há uma carta e um guardanapo de restaurante todo rabiscado.

Elisa reconhece o guardanapo e se lembra do último encontro com Fernando. Eles ficaram desenhando o rosto de um e do outro naquele pedaço de papel branco sobre a mesa manchada de vinho. Caricaturas de Fernando e dela, felizes com o encontro. Foi uma noite de muitos risos e muita alegria.

Elisa ri, e fica olhando carinhosamente o guardanapo. Ela então resolve abrir a carta e ler. A carta escrita à mão diz:

Querida Elisa,

Não repare a letra. Embora eu tenha feito alguns cursos de caligrafia, sei que ainda tenho muito a aprender.

Elisa, esta acredito ser a carta de nossas vidas.

Sabe, Elisa, sempre quis ser o seu melhor amigo, e acho que consegui. Eu morro de inveja de nunca ter lhe revelado o meu amor, visto que sempre te amei. Existem pessoas que não acreditam nesse tipo de amor, um amor sem interesses, sem compromissos, um amor de infância, mas nós dois somos a prova viva de que ele existe, existe sim.

Decidi lhe escrever esta carta, porque terei que me ausentar durante algum tempo de sua vida, ou melhor, me ausentar de nossas vidas.

Conheci uma mulher e decidi me casar com ela, nós estamos nos mudando para São Paulo. Não sei bem certo por quanto tempo ficarei sem te ver. Mas tenha a certeza de que o meu coração vai estar aí ao seu ladinho. Eu tentei ser seu marido, mas não consegui.

Chegou a hora de pensar em minha vida, Elisa. Vivi todos esses anos lhe guardando todos os dias. Acompanhei tudo bem de pertinho, e sabe de uma coisa? Você é genial, você é incrível, você se supera, você vence, você é merecedora de toda a felicidade que existe neste mundo. Você é o melhor exemplo de superação.

Hoje é o aniversário do Felipe. Olhe que lindo menino você tem. Ele está se superando e vai se superar, tenha certeza disso!

A Laurinha é um doce de menina. Dedicada, estudiosa, meiga, companheira e, acima de tudo, sua melhor amiga.

Josefa. Ah, a Josefa!... É uma velha que viveu toda a sua vida para te amar. Dedicou toda a vida a cuidar da sua felicidade. E merece todo o meu respeito.

Têm mais algumas coisas que você precisa saber: sabe, Elisa, existem pessoas que estiveram sempre orando por você. Eu, Josefa, Mirtes, Ângela e tantos outros amigos que sempre torceram pela sua felicidade.

Eu vou continuar a orar por você todos os dias. E espero sinceramente que você ouça os meus conselhos e procure estudar o espiritismo. Nós, Elisa, não somos seres humanos passando por uma experiência espiritual, somos seres espirituais passando por uma experiência humana. Saiba disso!

Minha eterna amiga, protegida e amada. Estou indo para voltar. Um dia nos encontraremos para viver o único amor verdadeiro, o amor que embala a vida.

Desse seu humilde amigo, Fernando.

Fique com Deus...

Elisa chora segurando a carta junto ao peito. Chora as lágrimas mais sinceras que um ser humano pode chorar.

Elisa fica olhando Felipe rindo com os amigos e Laura feliz ao lado de seu namorado.

O dia é alegre. Seu coração está feliz.

"Encontraremos na vida espiritual tudo aquilo que fizemos para o engrandecimento de nossa alma."

Osmar Barbosa

O lado oculto da vida

Daniel me chama a atenção naquele momento e me pergunta o que achei da vida de Elisa.

– Você gostou do que viu, Osmar?

– Sim, Daniel, achei muito emocionante a história de Elisa. Quanta dor, quanto sofrimento e quanta coragem para encarar tudo o que passou!

– Pois é, Osmar, mas existem coisas que seus olhos não viram.

– Como assim, Daniel?

– Você ficou todo esse tempo sentado aqui ao meu lado vendo a vida de Elisa.

– Sim – disse-lhe.

– Pois você só viu a vida material dela, você não viu a vida espiritual.

– Perdoe-me, Daniel, mas acompanhei tudo em desdobramento, ou seja, em condição espiritual.

– O fato de você estar desdobrado não quer dizer que tudo lhe é possível.

– Como assim, Daniel?

— Todos os espíritos precisam de permissões. Quando você chega aqui após uma encarnação, para que veja tudo o que você viveu ou experimentou é necessário que tenha conquistado as permissões.

— E como se conquista isso?

— Merecimento, Osmar, merecimento! Além do merecimento, você precisa de uma boa dose de disciplina.

— Entendi, Daniel!

— Então só me foi permitido ver o que vi por merecimento?

— Isso, rapaz! Mas meu objetivo não é simplesmente mostrar a vida de Elisa.

— Qual é o seu objetivo?

— É mostrar como tudo acontece espiritualmente na vida das pessoas. As boas influências, as más inclinações, obsessões, os protetores, as boas e más companhias espirituais e muito mais.

— E como é que vou ver tudo isso?

— Nós vamos rever alguns dos pontos mais importantes da vida de Elisa. Vamos poder observar em que momento nos foi permitido interceder para ajudá-la e em quais momentos nós nada podemos fazer.

— Nossa, quer dizer que vocês foram os anjos guardiões de Elisa nesta vida?

— Mais ou menos isso.

— Como assim, Daniel?

— Vamos do começo, tenha calma. No final você vai entender tudo.

— Podemos começar agora?

— Sim, vamos lá – diz o mentor.

Daniel faz um gesto com as mãos, e à nossa frente abre-se uma tela fluídica por meio da qual começamos a rever a vida de Elisa. Fiquei emocionado com tudo aquilo.

Estamos na rodoviária, e com muito carinho, Mirtes arruma os doces em uma banca escorada por caixas de madeira, recolhidas na feira livre da cidade.

Mirtes forra a bancada de madeira com jornais velhos por baixo, e em cima usa papel de embrulho daqueles amarelos, comprados nas papelarias.

Há alguns potes de doces. Mirtes tem em uma das mãos um velho espanador de poeira, com o qual espanta moscas e abelhas.

Geraldo é o gerente do terminal rodoviário e se aproxima de Mirtes para lhe cobrar a semana.

— Bom dia, Mirtes!

— Bom dia, seu Geraldo!

— Trouxe o que lhe pedi?

— Sim, aqui estão suas roupas lavadas e passadas.

— Que bom! Enquanto você cuidar das minhas roupas, ninguém vai lhe perturbar aqui.

— Obrigada, seu Geraldo!

Ele então se afasta e Mirtes volta ao trabalho.

Meio desconfiado, olhei para Daniel e lhe perguntei:

— Perdoe-me, Daniel, mas não vi nenhuma intercessão espiritual no trabalho de Mirtes.

Daniel calmamente me diz:

— Continue a olhar, rapaz; a cena ainda não terminou!

Geraldo caminha até a sua sala para guardar as roupas lavadas e passadas. Logo ele é abordado pelo diretor da rodoviária.

— Geraldo, quando é que você vai mandar aquela mulher desmanchar aquela barraca de doces lá da porta da rodoviária?

Imediatamente um espírito vestido como um soldado romano se aproxima de Geraldo, que cresce em tamanho e em coragem. O espírito amigo então começa a falar algumas palavras no ouvido de Geraldo que se aproxima do diretor com o dedo em riste e diz com voz firme e forte:

— Olha, você pode ser o que for aqui dentro, eu até respeito o seu cargo, mas me deixe lhe avisar uma coisa: se você mexer algum dia com a dona Mirtes, saiba que arrumou uma confusão para o resto de sua vida.

Amedrontado, o diretor senta-se e fica olhando para Geraldo, que parece um gigante à sua frente.

— Peraí, Geraldo, calma! Eu não falei para você tirá-la de lá; na verdade eu estava pensando em realocar a barraca dela para dentro do terminal. Sabe aquela lojinha pequena que fica na entrada? Nós poderíamos colocar dona Mirtes lá. O que você acha?

– Você pode colocá-la lá, mas não vai cobrar nem um centavo daquela pobre mulher. Nem dela e muito menos do menino que a ajuda, o Fernando.

– Eu não falei em cobrar nada. Pode deixar, não vamos cobrar nada dela.

– Então vou falar com ela e colocá-la na lojinha. Vai ser até melhor para ela, pois vai vender muito mais – diz Geraldo.

O soldado romano permanece ao lado dele.

Daniel me olha e sorri.

– Quem é aquele soldado, Daniel?

– Em breve você vai saber.

A cena se dissipa e logo outra aparece.

Elisa está caminhando por uma rua deserta, indo para a casa de sua amiga Ângela, que a espera para, juntas, irem para a faculdade.

De dentro de um carro três rapazes avistam a bela e jovem Elisa, e um deles decide abordá-la. Eles estão armados e são assaltantes.

– Olha ali aquela gata, Jorge!

– Onde?

– Lá na frente, cara! Vamos pegá-la para a gente brincar um pouquinho?

De novo imediatamente o mesmo soldado romano se apresenta e senta-se ao lado do rapaz mal-intencionado no veículo.

– Ela é linda mesmo, olha!

O soldado então diz alguma coisa no ouvido do motorista, que acelera o carro e passa correndo bem longe de Elisa.

– Ô cara, tá maluco? Eu não falei que a gente ia pegar a menina?

– Você tá maluco, cara!? – responde o motorista intuído pelo soldado.

– Que maluco o que, cara! Eu queria brincar com aquela menina.

– Nós acabamos de fazer um assalto, seu idiota! Olha a grana que ainda está aí atrás... Você acha mesmo que a polícia não foi avisada e não está procurando por nós, seu mané?

– É mesmo, cara! É melhor a gente dar o fora daqui – diz o tal Jorge.

Assim o carro segue seu caminho e Elisa chega à casa de Ângela em segurança.

Nessa hora não falei nada, só olhei para Daniel e sorri.

Elisa chega à casa de sua amiga Ângela. Ela foi recebida pela mãe de Ângela na porta principal da bela casa. Ao subir ao quarto e se encontrar com Ângela, me assustei quando ela abriu a porta do quarto. Vi um espírito de muita luz, encarnado naquele corpo que me pareceu doente.

Daniel olhou para mim e disse:

– Está vendo a Ângela?

— Sim, estranho como sai luz do corpo dela.

— Ela, na verdade, é um espírito de muita luz que está encarnado em missão espiritual.

— Mas Daniel, o corpo dela tem algumas manchas negras, parece doente.

— Sim, Ângela está doente; mas ela escolheu passar por isso. Logo você vai entender.

— Então vamos continuar assistindo, não é, Daniel?

— Sim, vamos.

Elisa e sua amiga Ângela estão em uma lanchonete, e um rapaz se aproxima das duas.

Eu pude ver que ele estava acompanhado de dois espíritos negros, trevais. Eram espíritos que estavam mal vestidos e sujos. Um deles segurava um cigarro. O rapaz entrou para falar com Elisa e sua amiga, e os espíritos ruins ficaram na porta da lanchonete esperando por ele.

Incomodado, perguntei a Daniel o que era aquilo. Ele então me respondeu:

— São as companhias que o Henrique escolheu. Sabe, ele usa drogas, e normalmente essas são as companhias de quem usa drogas.

— E por que eles não entraram na lanchonete?

— Devido à luz de Ângela. Espíritos assim não ficam perto de espíritos de luz.

– Por que, Daniel?

– Olha, há tantos espíritos que vivem em trevas, que esses espíritos não perdem seu tempo atrás de quem tem luz.

– Entendi – disse-lhe.

Logo que o rapaz saiu da lanchonete os dois espíritos das trevas voltaram a lhe acompanhar bem de perto.

Logo depois pude observar a festa de formatura de Elisa. Havia muitos espíritos por lá. Familiares foram levados por espíritos superiores para abraçarem seus filhos, netos e formandos. Havia um senhor alto que ficava o tempo todo ao lado de Elisa e Mirtes. Curioso, tomei a liberdade de perguntar a Daniel quem era aquele espírito.

– Daniel, vejo aquele senhor que não sai de perto de Elisa e Mirtes. Ele sorri o tempo todo, quem é ele?

– É o senhor Antônio, avô de Elisa. Ela não o conheceu, mas ele, sempre que lhe é permitido, tenta ajudar Mirtes.

– Por que às vezes?

– Porque nem todas as vezes que queremos ajudar alguém nos é permitido. Existem regras por aqui. Tudo nos é lícito, porém nem tudo nos é permitido.

– Eu já ouvi esta frase.

– Então guarde-a com você, você vai precisar segui-la pelo resto de sua vida.

– Que lição podemos tirar disso, Daniel?

– Que Ele tudo lhe permite, mas Ele também tudo lhe cobra ou exige. Somos espíritos em evolução. Experimentaremos muitas coisas até alcançarmos os conhecimentos necessários para transcender as esferas ainda mais altas. O mundo espiritual se divide em vibrações ou campos vibratórios espirituais. Assim, à medida que você aprende, evolui; e à medida que evolui, você muda de plano, de estágio, de compreensão, sabedoria e de lugar.

– Então esse senhor que as acompanha pode acompanhá-las; porém tem a capacidade de ajuda limitada por causa de seu estado evolutivo, é isso?

– Sim, tudo podemos, mas nem tudo conseguiremos.

– Obrigado, Daniel!

Ele sorriu para mim.

O ambiente da festa fica escuro, e pude ver uma legião de espíritos do mal se aproximar de Elisa. Naquele momento me assustei. Decidi permanecer calado e observar. Daniel me parecia sereno e nada disse naquele momento.

Logo depois aqueles espíritos, mais ou menos doze como pude contar, deixam o lugar e tudo volta ao normal. Não perguntei nada a Daniel sobre aquilo. Pensei: "se ele não falou nada, deve ser porque não é o momento oportuno para eu perguntar".

A cena termina e logo começa a festa de casamento de Elisa e Ronaldo. Pude experimentar o que é alegria assistindo à vida de

Elisa. Uma menina pobre que agora se casa com um rapaz rico e que certamente a fará muito feliz.

Todos estavam felizes naquele dia.

Perguntei a Daniel sobre o senhor Antônio. Ele me disse que naquela festa ele estava impedido de ir.

Não compreendi naquele momento como tudo isso funciona, já que somos livres aqui para irmos para onde desejarmos.

— Tudo lhe é lícito... lembra? — disse-me Daniel, mesmo sem eu lhe perguntar nada.

Logo em seguida vi Ângela, aquele espírito de muita luz, doente. Pude ver manchas em seu espírito, como se estivesse sujo com algo que ninguém poderia tirar.

— Daniel, o que é aquilo na Ângela?

— Ela está doente, eu já havia lhe dito isso — disse ele. — Muito doente.

— Ela vai morrer?

— Morrer não é a palavra adequada. Ela vai desencarnar.

— Desculpe-me, Daniel. Eu queria dizer desencarnar.

— Dentro em breve ela irá desencarnar. Cumpriu a sua missão.

— Mas morrer doente não é um castigo?

— Não! — disse ele prosseguindo:

— A morte não é um castigo, mas sim uma libertação, visto

que ninguém morre. O meio do desencarne, muitas vezes, é condicionado à forma como tratamos nosso corpo físico; as doenças são mecanismos da desencarnação, assim como os acidentes, as mortes súbitas e tantas outras formas de se causar esse desenlace.

– Compreendo, Daniel.

Foi um dia muito triste para todos. Pude acompanhar que no exato momento em que Elisa se sentia a pessoa mais feliz do mundo, na casa de Ângela a alegria dava lugar a uma enorme tristeza. Seu pai e sua mãe estavam arrasados. Uma jovem bonita morria em pele e osso.

Pude ver que antes de seguir para as esferas superiores da espiritualidade, Ângela foi levada por dois espíritos de luz até a igreja onde o casamento era realizado, eu vi Ângela abraçar Elisa. Foi o momento em que Elisa soube da morte da amiga e que se afastou de todos para chorar.

Logo que eles saíram com Ângela para seguirem seu caminho, um rapaz muito iluminado se aproximou de Elisa para abraçá-la e consolar aquele coração que sofria muito naquele momento. Pude ver que a luz dele era tão intensa, que iluminou todo o lindo jardim onde estavam sentados.

Daniel percebe a minha tristeza e diz:

– Você se lembra daquele momento em que Elisa e Ângela estavam na lanchonete e chegou um rapaz de nome Henrique, cheio de companhias indesejáveis?

– Sim, me lembro sim, Daniel – respondi.

– Eram as companhias que o levaram a contrair a doença que vitimou ele e Ângela. Ela achou que foi outro rapaz, mas não foi. Foi o Henrique quem passou AIDS para ela.

– Quer dizer que essas más companhias espirituais podem nos levar a contrair doenças e tudo mais?

– Eles podem muitas coisas, muitas coisas! – disse o mestre.

– E como evitá-los?

– Transformando seu coração. Aprendendo a amar, a dividir, a compreender e a aceitar. Você é a soma de seus pensamentos, atitudes e realizações. Quando você pensa, você pode ou não realizar; todos os encarnados experimentam sentimentos bons e ruins; atitude é o meio-termo entre o bem e o mal. Você pode pensar e não realizar, você pode pensar e tomar a atitude de mudar aquilo que pensa, mas a realização é onde se esconde tudo aquilo que lhe trará para cá. É por meio das ações que você será avaliado aqui e não naquilo que pensou ou experimentou. Se suas ações foram boas, você vai para um bom lugar, mas se suas ações foram prejudiciais à sua evolução ou à evolução de alguém, há primeiro de se ajustar com Ele para depois vir para cá.

– Obrigado, Daniel!

Pude observar que durante a despedida de Ângela e Elisa, um espírito vestido de branco se aproximou das duas e fez com que Elisa tivesse coragem para deixar Ângela sozinha. De novo minha curiosidade falou mais alto e eu perguntei a Daniel quem era aquele novo espírito que aparecera naquela hora.

– Daniel, perdoe-me, mas quem é esse rapaz?

– Essa é uma longa história. Na hora apropriada eu vou lhe contar.

– Sim – disse-lhe. – Então vou esperar.

– No final você vai saber quem é ele – disse o mentor.

Agradeci e me calei.

Logo os anos se passam e Elisa é novamente testada. É quando tem que decidir entre ter um filho ou abortá-lo, dando preferência à carreira. Elisa escolhe ter o filho e nasce Laís.

Pude ouvir Elisa perguntando a Deus em prece o que ela deveria fazer. Daniel, naquele momento, me convida a assistir uma das coisas mais lindas que pude ver até hoje.

– Preste atenção agora na tela! O que veremos é muito comum na vida material, mas é muito incomum aqui na vida espiritual – disse ele.

Elisa aparece na tela com seus pensamentos totalmente voltados para Deus. Todos nós que estávamos na sala naquele momento pudemos ouvir a prece que Elisa fazia a Deus, pedindo que Ele a orientasse em sua decisão de ter ou não a sua primeira filha. Pudemos observar como espíritos de pouca luz tentam interceder intuindo Elisa a realizar o aborto. Aquilo me deixou muito curioso, mas resolvi me calar e esperar o desenrolar da situação.

O LADO OCULTO DA VIDA

Bastou eu pensar assim, e vi claramente quando aquele rapaz de branco se aproximou de Elisa e ficou ao lado dela irradiando pensamentos positivos. Pensamentos maternos cobrindo a cabeça de Elisa com uma luz que saía de suas mãos e era direcionada aos pensamentos de sua protegida. Ali tive uma certeza: aquele rapaz era o anjo da guarda de Elisa.

Imediatamente pude ver uma batalha de pensamentos sendo travada entre o bem e o mal. Espíritos obsessores queriam a todo custo que Elisa abortasse a criança, eu pude ver como eles agem. Eles são sórdidos. Mostravam a Elisa dinheiro no banco, uma linda casa, carros, viagens e luxo. Enquanto o outro lhe mostrava um bebê em seu colo sorrindo para ela.

Nada falei, fiquei observando e torcendo para que Elisa tomasse a decisão que todos nós naquele momento queríamos.

Eu, Daniel e outros quatro assistentes dele que estavam na sala, nos entreolhávamos esperando ansiosamente que Elisa dissesse não às coisas materiais, que dissesse não ao aborto e dissesse sim à vida.

Daniel me chamou a atenção para um sonho que o protetor de Elisa levava para ela.

Pude ver nitidamente como aquele espírito de luz colocou Elisa para dormir e a levou a um sonho decisivo em sua vida. Ficamos todos observando os acontecimentos.

Quanto Elisa decidiu, todos nós nos abraçamos comemorando a decisão acertada.

Foi, sem dúvida, um dos momentos mais especiais de minha mediunidade.

Lembrei-me de uma palestra que fiz uma vez sobre o aborto. E que na assistência da casa espírita estava uma menina que tinha agendado o aborto para a segunda-feira seguinte após aquele sábado. Por Deus aquela foi, sem dúvida, a melhor palestra da minha vida, quando alguns meses depois a jovem mãe voltou à casa espírita e colocou em meus braços um menino. Ela me contou que aquele menino devia a sua vida a mim, pois foi ouvindo a minha palestra que ela decidiu desistir do aborto e ter o menino. Passados mais alguns anos eu estava em uma festa e ela se aproximou de mim, desta vez o menino veio correndo e pulou no meu colo como se me conhecesse havia muitos anos; eu estranhei o gesto do menino e comentei com a mãe que veio logo atrás dele para me cumprimentar, no que ela me disse que ele era assim, um menino doce como uma uva. Que era amado por todos. Que ela era grata a mim por toda a vida, pois eu fui o responsável pelo nascimento daquele menino que era, na verdade, um anjo em sua vida. Naquele momento mais uma vez ela me agradeceu pela palestra, me abraçou e me beijou. Disse-me: "esse é o nosso filho", mostrando-me mais uma vez o menino. Fiquei muito feliz e grato a Deus por tudo isso. Pude ver a alegria do pai do menino; sim, pois quando desistiu do aborto ela decidiu se casar com o pai do menino. E eles estavam muito felizes.

No dia em que Laís nasceu estavam todos no hospital. Todos os espíritos que eu relato estavam com Elisa e Ronaldo naquele hospital.

Depois, pude compreender porque tantos espíritos amigos em um nascimento.

Naquele dia pude ver que o ambiente da casa de Elisa estava denso, parecia que algo terrível iria acontecer. Vi quando o soldado romano chegou e ficou ao lado de Mirtes. Ela estava muito mal. Pude ver que no lado de fora havia mais dois espíritos que traziam nas mãos uma maca de cor branca. Como tomei por hábito observar, nada falei. Fiquei curioso e atento a todos os detalhes daquele dia.

Vi quando Josefa chamou Elisa para ver a mãe que agonizava no leito de morte. Acompanhei os espíritos amigos que foram com ela até o hospital e os maqueiros que a colocaram na maca e levaram para dentro de uma névoa branca. Todos foram embora do hospital onde só Elisa e Ronaldo permaneciam chorosos.

Deslumbrei-me ao assistir à morte como ela é. Serena, indolor e libertadora.

Vi claramente que Mirtes sorria quando deixou o corpo doente.

Nem precisei perguntar nada, Daniel foi logo me dizendo:

— Você viu como é a morte?

— Sim, Daniel, confesso que até agora estou impressionado com tudo.

— O que o impressionou? — perguntou o iluminado.

— O fato de a morte ser assim, tão serena.

– Você achava que a morte era algo doloroso?

– Sim, eu achava que haveria uma batalha entre Mirtes viva e Mirtes morrendo.

– Todos nascem chorando, não é mesmo? – perguntou Daniel.

– Sim – disse-lhe. – Todos os bebês nascem chorando.

– Pois então todos os espíritos que estão encarnados nascem chorando e morrem felizes – disse Daniel.

– Por que morrem sorrindo? – perguntei a ele.

– Porque a morte nada mais é do que a libertação de um espírito comprimido em um corpo necessitado de muitas coisas. As necessidades fisiológicas, muitas vezes, impedem o espírito de evoluir. A prisão do corpo para alguns é um castigo. Espíritos que adoram o corpo normalmente demoram a libertarem-se para a vida eterna. Alguns até permanecem ao lado de seu corpo durante dias, meses e até anos. Quando percebem que o que adoravam está podre, eles se desesperam e gritam por nós.

– Deus permite isso? – eu lhe perguntei.

– Deus lhe permite tudo, lembre-se disso!

– Realmente você já havia me falado sobre isso, Daniel.

– Todos os espíritos são livres.

– Obrigado, Daniel!

– Vamos continuar olhando o lado oculto da vida de Elisa.

– Vamos sim! – disse-lhe.

Naquele momento fiquei impressionado como a oração tem poder. Nós, que estávamos ali, pudemos ouvir claramente as preces de Elisa. Ficamos todos emocionados com as palavras que Elisa usou para agradecer a Mirtes por tudo o que ela tinha feito pela mãe. Pena Mirtes não ter podido ouvir. Mas Daniel me falou que assim como nós estávamos vendo a vida de Elisa, Mirtes, após o sono da recuperação, veria as preces que a filha tinha feito por ela.

– Justiça divina! – disse-me Daniel.

De novo vi Fernando ao lado de Elisa no cemitério, na hora do enterro de Mirtes. E pensei: "há alguma ligação entre esses dois que eu ainda não entendi, mas vou ficar calado e observar. Observação no mundo espiritual é tudo!".

Era madrugada quando vimos o acidente de carro que vitimou os pais de Ronaldo.

Joir era um homem muito mau. Ele era muito ganancioso e materialista. Na hora do acidente que o matou junto à sua esposa, Alice, estávamos de pé à beira da estrada; eu não entendi muito bem por que Daniel me levou àquele lugar naquela hora da madrugada. Logo vi que um caminhão carregado de caixas de madeira vinha descendo uma pequena serra e o carro de Joir ia na direção contrária fazendo um ziguezague pela estrada. Joir havia bebido muito durante o jantar. Alice dormia ao seu lado, presa unicamente pelo cinto de segurança. E nem sequer percebeu a morte.

O inevitável acontece. O acidente vitima imediatamente Alice e Joir.

Vi os socorristas chegarem rapidamente, e como num piscar de luz, levaram Alice assim que a colocaram numa maca. Joir agonizou por mais ou menos meia hora. O rapaz do caminhão e seu ajudante foram resgatados por maqueiros do bem. Joir e Alice ficaram presos às ferragens retorcidas do frágil automóvel.

Assustei-me quando uns onze espíritos muito escuros, sujos e maltrapilhos se aproximaram do veículo e retiraram Joir. Eles não tinham maca. Pegaram Joir pelos braços e pernas e desceram sumindo dentro da estrada escura. Eram vultos escuros.

Daniel me puxa para o lado e comenta:

— Joir está sendo levado para o Umbral. Suas escolhas, atitudes e decisões foram o que o qualificaram para a pior das regiões que um espírito pode experimentar. Joir era um homem muito materialista e não mediu esforços para exercer poder. Agora ele deixa a família falida e com muitos problemas financeiros. A agonia será dos dois lados; ele sofrerá no Umbral sendo castigado e perseguido por seus opositores enquanto poderá ver seu único filho sofrer pela falta de dinheiro. Tudo o que ele ganhou foi ilícito; sendo assim, tudo o que é ilícito lhe será tirado por seus covardes confrades.

— Meu Deus! — eu disse. — Eu não sabia que as coisas eram assim, Daniel.

— Meu filho, colhes na vida espiritual aquilo que semeastes na

Terra em sua vida material. Tudo o que está no universo está para se ajustar.

– Quer dizer que o que eu fizer encarnado refletirá diretamente na minha vida espiritual?

– Sim, exatamente assim!

– Nossa! – disse-lhe.

Acompanhei o desespero de Elisa ao saber das dívidas da família, e fiquei contente ao ver que seus amigos espirituais lhe inspiraram coragem para recomeçar com um pequeno escritório que lhe deu muitas alegrias e lhe custeou a vida.

Naquele momento pude ver uma cena muito bonita.

Elisa está sentada em uma praça e Ronaldo deitado com a cabeça em seu colo. Vi quando dois espíritos iluminados se aproximaram dela e ela fez uma linda prece pedindo por Ronaldo. Pude ver que era Nina e Felipe, e eles encheram toda a praça de luz. Nina deu um belo passe em Ronaldo enquanto Felipe iluminava os pensamentos de Elisa.

Mas posso confessar que a parte mais difícil deste livro foi, sem dúvida, a morte de Laís.

Olhei para Daniel com olhar de reprovação. Logo ele sorriu para mim e disse:

– Acalme seu coração, não se conhece o perfume pela embalagem, mas sim pelo que tem dentro do frasco. Deus tem os Seus mistérios.

– Mas Daniel, já não é o suficiente o que Elisa tem passado?

– É na dor que conhecemos os mistérios de Deus – respondeu Daniel docemente. – Você se lembra das vezes que Mirtes, após o seu desencarne, visitava as netas e dava sempre um passe na cabecinha de Laís?

– Sim, me lembro bem.

– Pois bem, as coisas poderiam ser piores ainda se aqueles passes não tivessem sido aplicados por Mirtes.

– O que é pior para uma mãe do que perder um filho com câncer na cabeça, Daniel?

– Ver esse filho sofrer por muitos anos, sem nada poder fazer. Os passes aplicados por Mirtes auxiliaram no desencarne de Laís. A menina iria ficar por muitos anos vegetando sobre um leito de hospital se Elisa tivesse permitido sua cirurgia.

Calei-me diante de tanta sabedoria e amor.

Logo vi que Fernando tinha convidado Elisa para um jantar e fiquei muito confiante e feliz. Achei que estava se encerrando ali uma fase de sofrimento na vida de Elisa. Fiquei novamente a observar.

E quando pensei que tudo havia terminado, Felipe sofre aquele acidente. Ainda bem que ele não morreu, porque não sei se Elisa iria suportar.

Daniel me explicou que Felipe é um espírito amigo de Elisa e que ele reencarnou ao lado dela com o propósito de lhe dar forças para superar os desafios, e nada melhor do que ser um deficiente para ensinar a mãe a lutar. Mas que, com o passar dos anos, ele iria recuperar-se e voltaria a andar. Disse-me ainda que Felipe se destacaria como um grande nadador e que o acidente foi o que lhe direcionou para a natação. Muitas medalhas iriam enfeitar o quarto do garoto.

Ele me explicou que espíritos amigos escolhem as suas missões ao nosso lado. É pelas dificuldades que enfrentamos na vida que agregamos à nossa consciência a compreensão, aceitação e inteligência.

Curioso, olhei para ele e pedi que me explicasse melhor tudo isso.

– Daniel, perdoe-me, mas você poderia me explicar melhor tudo isso?

– Sim, claro que sim! Olha, a vida de Elisa não se resume somente a este livro. Essa é mais uma alma da qual pudemos acompanhar as lições que são tiradas de todas as experiências que se vivem na Terra. Houve muitos fatos impossíveis e desnecessários de ser contados neste livro, mas lhe asseguro que todos os que estão encarnados hoje sofrem intercessões espirituais em seu dia a dia. Em *noventa por cento das decisões que o espírito encarnado toma no dia a dia há direta ou indiretamente a intercessão de espíritos bons ou espíritos obsessores.*

– Como assim, Daniel?

– A encarnação é um dos instrumentos usados por Deus para a

evolução do espírito. Todos os espíritos estão interligados, visto que nenhum de nós evoluirá se o outro não nos ajudar. O processo evolutivo é muito lento. Alguns evoluíram mais rápido e terão a incumbência de ajudar seu semelhante.

– É como se estivéssemos em uma fila?

– Exatamente. Você encarna, evolui ou não, e sempre volta para a fila, por isso há espíritos bons encarnados em meio a espíritos maus e vice-versa.

– Deixe-me ver se compreendi: eu encarno, evoluo, desencarno e volto para ajudar aqueles que ainda não estão no mesmo estágio que eu, é isso?

– Sim, é isso mesmo! Só se evolui pelas provas. Assim sendo você encarna, passa pelas provas evolutivas, as compreende e evolui. Ou você encarna, passa pelas provas evolutivas e não evolui. Quem evolui auxilia aqueles que não evoluíram, e assim a humanidade caminhará sempre no sentido evolutivo.

– Todos evoluirão?

– Sim, o destino dos espíritos é a evolução.

– E quando é que eu não precisarei mais encarnar?

– A vida espiritual é regida por graus. Por exemplo: os planos espirituais são divididos por dimensões, umas menos evoluídas e outras mais evoluídas. Há ainda as intermediárias. À medida que você evolui vai mudando de dimensão, até alcançar esferas ainda mais superiores. Quando você atinge determinado grau de compreensão você muda de dimensão. Há várias formas de vida. Uma delas é a encarnada na Terra. Confesso ser essa uma das primeiras.

– E quantas são, Daniel?

– Bilhões – disse o mentor.

– Bilhões de lugares para encarnar?

– Sim, multimundos, multigaláxias, multidimensões e por aí vai.

– Meu Deus! – disse-lhe, assustado.

– Não se assuste, você ainda não conhece Deus – disse-me carinhosamente Daniel.

– Sabe, Daniel, se eu pensar que Deus é Deus mesmo, eu creio em tudo isso que você está me revelando agora.

– O problema dos espíritos é que eles nem se conhecem ainda e já acham que sabem tudo de Deus.

– Verdade! – disse-lhe.

– O problema das almas encarnadas é que elas recebem a todo momento instruções preciosíssimas da vida pós-morte. Mas elas não se importam, elas acham que vão morrer quando o corpo físico ficar doente. Difícil mesmo é sobreviver a tanta ignorância e falta de amor. O amor é o único sentimento eterno. Quando as almas encarnadas aprenderem a amar, tudo ficará mais fácil.

– E vai chegar esse dia, Daniel?

– Sim, e está muito próximo. O planeta está sendo regenerado. Espíritos de luz estão encarnando para transformar a Terra em um lugar feliz. Aqueles que quiserem ouvir, que ouçam. Os dias estão no fim. É chegada a hora da regeneração. Espíritos imundos deixarão este orbe para habitar planetas ainda em expiação. Lá, eles terão novamente uma chance de recomeço.

– Como podemos chamar isso?

– Primeiro, você pode chamar de justiça divina, em segundo: amor de Deus para com todos os espíritos da criação.

– Sinto-me lisonjeado de participar de tudo isso, Daniel.

– Merecimento, rapaz, merecimento! Tens aquilo que é necessário para a sua evolução. Deus não dá asas a cobras.

– Esse ditado é da Terra, Daniel.

– Tudo o que chega à Terra passa antes pelo mundo dos espíritos, Osmar.

– Até isso? – perguntei.

– Vocês são muito mais orientados por nós do que imaginam.

– E aquelas pessoas ruins, desonestas, falsas, mentirosas, enganadoras... O que pensar delas? Elas também são intuídas por espíritos a fazerem o que fazem?

– Muito mais do que você possa imaginar. Seus inimigos atuais nunca deixaram de ser seus inimigos, porque eles não vão morrer. Muita gente, quando morre alguém de quem não gosta, diz: já morreu tarde aquele desgraçado e tal. Esquece-se que espíritos não morrem. Na verdade, o seu inimigo de hoje pode ter sido seu inimigo de vidas anteriores ou um inimigo novo que você acaba de contrair e que poderá andar ao seu lado por muito tempo. O que acontece muito é que seu inimigo, quando percebe que não morreu e que tem poderes como desencarnado, começa a perseguir você a fim de se vingar do que sofreu por você. Essas perseguições podem durar dias, meses, anos, séculos ou milênios.

– Por que isso acontece, Daniel?

– Porque quando desencarna, você também percebe que não morreu e que tem poderes para perseguir seus desafetos. Aí começam as disputas que podem durar muito tempo, como falei acima.

– Agora fiquei ainda mais curioso e preocupado.

– Por que?

– Como posso levar uma vida sem fazer inimigos? Ninguém vive sem contrariar outras pessoas, seja por inveja, intolerância, ódio, ignorância. Naturalmente somos incompreendidos. E essas pessoas que não nos compreendem acabam virando nossos inimigos sem mesmo a gente querer.

– Daí vem aquilo que vocês mais desprezam: vocês nunca se preocupam em orar a seus ancestrais. Quem cuida de você nesta encarnação são os seus amigos, parentes, familiares das encarnações anteriores. Lembre-se, evoluímos juntos sempre. Daí a oração é o escudo protetor desses maus sentimentos e dessas densas energias enviadas a você.

– Como assim, Daniel?

– Olha, para que você pudesse estar encarnado hoje, houve uma grande engenharia encarnatória, ou seja, seu pai aceitou ser seu pai, sua mãe aceitou ser sua mãe etc.; houve uma grande engenharia de aceitações para que você pudesse estar aí hoje. Assim, seus ancestrais encarnaram antes de você para lhe proporcionarem a oportunidade evolutiva. Passe a chamar a sua encarnação de oportunidade evolutiva que você vai compreender melhor a vida. A vida não são as coisas materiais que você conquista, mesmo porque as coisas materiais ficarão no plano material. A vida é alicerçada nas conquistas espirituais, pois são essas conquistas que alicerçarão seu futuro espiritual.

– Mas é muito difícil, Daniel!

– Se fosse para ser fácil, Ele não teria criado um planeta inteirinho para você expiar.

– É verdade, Daniel. Quero lhe agradecer por esta oportunidade.

– Não agradeça, publique o livro.

– Pode deixar. Mas Daniel, e Elisa? Como está agora?

– Sente-se aqui, vamos ver – me convida o mentor.

A tela se abre novamente.

"O segredo da mudança está em rasgar o passado e construir dentro de si algo novo!"

Osmar Barbosa

Roma Antiga

— Elisa é cortejada por um soldado romano de nome Malaquias. Eles começam a namorar. Ela é filha de um importante general do Império Romano. Seu pai é um homem muito duro, e ao descobrir o namoro de Elisa com o soldado determina que seu subordinado seja transferido para Alexandria, pois ele sonha casar Elisa com um nobre da corte.

— Esse é o soldado que a protege, Daniel? – perguntei.

— Sim, ele está ligado a ela por muito tempo. Como já não necessita reencarnar, ele trabalha ao lado de outros amigos de Elisa para auxiliá-la nesta encarnação. É um excelente amigo.

Logo aparece outra cena em que Elisa e Malaquias fogem pelo deserto de Alexandria para viverem seu grande amor. O general, após procurar por sua filha por muitos anos, desencarna triste, envergonhado e desgostoso com a vida.

— Por que ela fez isso com o pai, Daniel?

— Foi o último ajuste entre Elisa e Lipílios. Em uma encarnação anterior ele a havia matado ainda no ventre da mãe com um soco. Lipílios não queria ter uma filha, pois naquela época ser pai de menina era algo desonroso. Por isso ela o abandonou para viver seu grande amor.

– Eles se ajustaram, então?

– Sim, terminou ali o resgate de Elisa e Lipílios.

– Que legal!

Você se lembra de Fernando, da barraca de doces?

– Sim, claro que sim!

– Olhe então.

Malaquias se aproxima de Mirtes e combinam de ele reencarnar ao lado de Elisa para ajudá-la.

– Nossa, Daniel! Quer dizer que Malaquias é o Fernando?

– Sim, ele é o Fernando. E fique atento agora.

Os anos se passam, e Fernando, após ficar viúvo e pai de uma menina de nome Maria Clara, reencontra Elisa em um *shopping* após sair do cinema.

Ele e Elisa finalmente namoram e se casam em uma linda e esplendorosa mansão de propriedade de Fernando. Ele agora é um advogado muito bem-sucedido.

– Quer dizer que o destino os uniu mais uma vez, Daniel?

– Destino? Como assim? Não existe destino. Tudo está marcado para acontecer. Ele, Malaquias, reencarnou ao lado de Elisa para lhe ajudar a formar-se na faculdade e posteriormente voltarem a viver o grande amor que nutrem até os dias de hoje um pelo outro.

– Lembro-me que Elisa, por diversas vezes, disse que iria

procurar uma religião. Ela finalmente teve uma religião ao lado de Fernando, Daniel?

– Sim, Elisa seguiu os passos do marido e se tornou uma tarefeira da seara espírita. Ela realizou o sonho do marido. E até recebeu uma cartinha de Mirtes e outra de Laís.

– Nossa que legal, Daniel! E o Ronaldo?

– Você se lembra daquele rapaz de roupa branca que protege Elisa em todas as situações?

– Sim, me lembro.

– Então olhe agora. Fique atento.

"As letras da vida são escritas nas folhas que o vento leva de nós."

Osmar Barbosa

A Revelação

Século dezenove...

Elisa está sentada na varanda de uma casa em uma fazenda quando percebe que dois meninos na idade aproximada de onze anos, escravos de seu pai, estão brigando. Um dos meninos tem uma faca em uma das mãos. O outro tenta se esquivar dos golpes quase certeiros que Leon tenta lhe aplicar.

Elisa corre para interceder, visto que não há nenhum adulto por perto. Ela tem dezessete anos.

Após tentar apartar os brigões sem sucesso, Elisa se põe à frente de Leon que impiedosamente lhe desfere um golpe certeiro ceifando-lhe imediatamente a vida. Ela morre nos braços de Leon.

— Nossa, que coisa horrível, Daniel!

— Sim, Leon matou Elisa, que defendia Vinícius, um negro.

Desesperado, o rapaz foge para a mata.

— Quem é quem agora, Daniel?

— Leon foi a última encarnação de Ronaldo, que pediu para nascer ao lado de Elisa e ceifar sua própria vida estando ligado a ela intimamente. Assim eles terminaram o que para Elisa nem era mais um problema, mas Leon insistiu muito por essa oportunidade. Elisa concedeu, auxiliada por Malaquias, que permitiu o casamento.

— Já sei. O protetor que vi várias vezes ao lado de Elisa é o Vinícius?

— Sim, ele mesmo! Pediu para estar ao lado de Leon que o assassinou. E foi ele quem recolheu Ronaldo para uma colônia, que não é a nossa, para ser tratado.

— Que legal, Daniel! Estou muito feliz em ver como o amor de Deus é constante na vida dos espíritos.

— Deus nos incumbiu de auxiliar-nos uns aos outros. Isso pode demorar milênios, mas haverá ainda o dia em que todos nós estaremos evoluídos ao lado do Pai.

— Assim Ele prometeu.

— Sim, assim Ele prometeu.

— Só mais uma pergunta, Daniel.

— Sim!

— Aquela moça que apareceu aqui para pegar o pergaminho... Fiquei meio sem entender aquilo.

— Heloísa?

— Sim, isso mesmo.

— Você ficou impressionado com a beleza dela?

— Sim, e muito.

— Pois bem. Heloísa é a mentora espiritual dos centros transitórios de resgate do Umbral. Ela e sua equipe são os responsáveis pelos primeiros atendimentos àqueles espíritos que chegam ao Umbral. Esses postos de socorro se encontram espalhados pelas regiões sombrias do Umbral. Esses locais de ajuda, semelhantes a um complexo hospitalar, são vinculados a colônias assim como a nossa. Ela coordena ainda os espíritos missionários vindos de regiões mais elevadas que trabalham na ajuda aos espíritos que vivem nas cidades e regiões do Umbral e que estão à procura de tratamento ou orientação.

– Nossa, que legal, Daniel!

– Perdoe a minha ignorância, mas por que tanta beleza em uma só mulher?

– Porque damos mais valor ao que é belo. Veja, você mesmo está até agora querendo saber quem é ela.

– Verdade. Quer dizer que ela usa sua beleza para mostrar a esses espíritos que todos podem ser belos como ela?

– Sim, e também para convidar esses espíritos rebeldes a refletirem e quererem saber quem ela é.

– Funcionou comigo.

Risos.

– E o pergaminho dourado?

– É a relação dos espíritos que vão desencarnar e que devem ser trazidos para a nossa colônia.

– Tem isso?

– Tudo aqui é muito bem organizado. Estamos trabalhando muito para que o planeta esteja melhor amanhã.

– E vai estar, Daniel, no que depender de mim.

– Continue sua missão, leve a palavra do Cristo aonde lhe for convincente. Publique os livros. Ore, agradeça e seja feliz.

– Obrigado, Daniel!

Meus olhos se encheram de lágrimas. Lágrimas de tristeza quando percebo que algumas pessoas deixam passar essa oportunidade evolutiva em suas vidas.

Elisa, que estava sendo tratada em uma enfermaria da colônia, logo apareceu na sala novamente. Ela não falou nada comigo, e nem com Daniel, mas nem precisava. Vi uma Elisa refeita e feliz. Seu rosto agora era de felicidade por estar ali.

Ela sorriu para mim. E isso foi o suficiente para eu sorrir para ela.

Daniel se aproximou de mim e me abraçou dizendo:

Não se preocupe com o que as pessoas vão pensar de você, faça o que o mundo espiritual lhe pede para fazer, porque todos nós temos um lado oculto na vida!

Seja feliz!

Compreendi que são os espíritos que guiam os nossos pensamentos.

Obrigado, Daniel!

Fim

"Embora ninguém possa voltar atrás e fazer um novo começo, qualquer um pode começar agora e fazer um novo fim."

Chico Xavier

Conheça outros livros psicografados por Osmar Barbosa. Procure nas melhores livrarias do ramo ou pelos sites de vendas na internet.
Acesse
www.bookespirita.com

*Outros títulos lançados por
Osmar Barbosa*

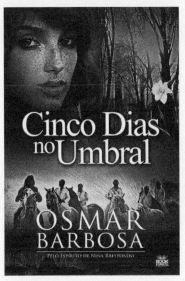

Aos 24 anos de idade, uma linda jovem desencarna por causa de uma doença no coração. Exausta e muito assustada, ela acorda no plano espiritual, em uma das enfermarias da Colônia Amor & Caridade. Quando ainda se recuperava desta intensa viagem de passagem, que todos nós faremos um dia, Nina recebe o convite que transformaria toda sua trajetória espiritual: se juntar a uma caravana de luz em uma missão de resgate no Umbral. Quem será que eles tinham que resgatar? Por quê? E que perigos e imprevistos encontrariam pelo caminho? Por que nem sempre compreendemos as decisões das esferas superiores? Você encontrará as respostas para estas e muitas outras perguntas no livro Cinco Dias no Umbral.

Após um longo período em orações, Felipe consegue permissão para buscar Yara, sua mãe, no Umbral. Ele e toda a caravana partem rumo à região mais sombria existente na espiritualidade para encontrar e trazer sua amada e querida mãe de volta à Colônia Espiritual Amor & Caridade. Quais os desafios que esses iluminados irão encontrar pela frente? Quem está com Yara? Será que cinco dias é tempo suficiente para que a missão seja cumprida? Nina suportará todos os desafios do Umbral? Você não pode perder a continuação do livro Cinco Dias no Umbral. Seja você o oitavo componente dessa missão de amor e solidariedade nas regiões mais densas da vida espiritual.

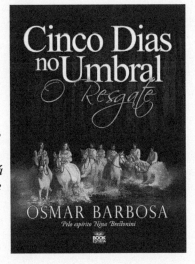

Uma história que nos completa e nos faz compreender a misericórdia divina em sua amplitude. Esta obra psicografada retrata a trajetória de um índio que, como espírito, também tem a oportunidade evolutiva. Ou índios, negros africanos, escravos etc., não são espíritos que merecem, como todos nós, filhos da criação, uma oportunidade? Esta obra é a prova viva de que Deus ama sua criação e proporciona a ela oportunidades evolutivas constantes. Como são recebidos esses espíritos na erraticidade? Existem colônias específicas para estes espíritos? Como são as colônias espirituais? Será possível eles auxiliarem na obra divina? E o amor, será que eles não amam? Quais as oportunidades? Onde estão seus familiares? Como estes espíritos podem evoluir? Para que servem essas experiências?

A prece é uma invocação: por ela nos colocamos em relação mental com o ser ao qual nos dirigimos. Ela pode ter por objeto um pedido, um agradecimento ou um louvor. Podemos orar por nós mesmos ou pelos outros, pelos vivos ou pelos mortos. As preces dirigidas a Deus são ouvidas pelos espíritos encarregados da execução dos seus desígnios; as que são dirigidas aos bons espíritos vão também para Deus.
Quando oramos para outros seres, e não para Deus, aqueles nos servem apenas de intermediários, de intercessores, porque nada pode ser feito sem a vontade de Deus.
O Espiritismo nos faz compreender a ação da prece ao explicar a forma de transmissão do pensamento, seja quando o ser a quem oramos atende ao nosso apelo, seja quando o nosso pensamento eleva-se a ele.

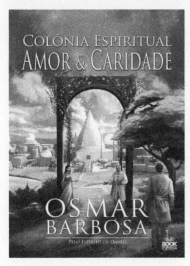

Posso garantir, sem medo de errar, que ao percorrer as páginas deste livro, você, meu querido amigo leitor, se sentirá caminhando ao lado do irmão Daniel e do menino Lucas pelos jardins e passaredos belamente arborizados da Colônia Amor & Caridade. Você presenciará conosco este momento único em que o sábio e o aprendiz caminham lado a lado em uma incrível troca de conhecimentos e experiências de vidas, onde é profundamente difícil definir quem está aprendendo mais com quem. Decerto, podemos afirmar que o maior beneficiado de todo este momento único na história seremos nós mesmos, meros seres encarnados, que estamos sendo merecedores de receber todo este conhecimento especial, fruto deste encontro, pelo conteúdo psicografado contido neste livro.

Diz-se que, mesmo antes de um rio cair no oceano ele treme de medo. Olha para trás, para toda a jornada, os cumes, as montanhas, o longo caminho sinuoso através das florestas, através dos povoados, e vê à sua frente um oceano tão vasto que entrar nele nada mais é do que desaparecer para sempre. Mas não há outra maneira. O rio não pode voltar. Ninguém pode voltar. Voltar é impossível na existência. Você pode apenas ir em frente. O rio precisa se arriscar e entrar no oceano. E somente quando ele entra no oceano é que o medo desaparece. Porque apenas então o rio saberá que não se trata de desaparecer no oceano, mas tornar-se oceano. Por um lado é desaparecimento e por outro lado é renascimento. Assim somos nós. Só podemos ir em frente e arriscar.

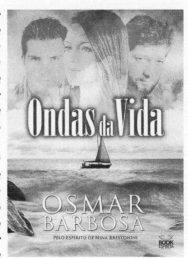

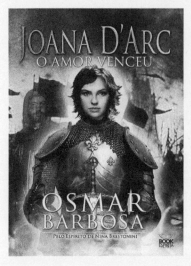

Segundo Humberto de Campos, pelo médium Chico Xavier, a última reencarnação de Judas Iscariotes na Terra foi da conhecida heroína francesa Joana D'Arc, queimada nas fogueiras inquisitoriais do século XV, conforme mensagem apresentada no livro Crônicas de Além-Túmulo.
Fiquei perplexo ao receber essa psicografia. Logo me preocupei em não discordar dos amados Chico Xavier e Humberto de Campos. Até procurei uma explicação questionando Nina Brestonini, o espírito que me passou este livro.
Conheça essa incrível história de amor e superação. Não perca a oportunidade de conhecer mais um pouco dessa jovem menina querida e destemida, chamada Jeanne D'Arc.

Aquilo que está vivo é uma possibilidade. Somente a morte coloca o ponto-final em algumas relações. Naquelas que mais importam, eu diria. Naquelas que nos inquietam e das quais nos cabe cuidar. Ao contrário das coisas materiais, é impossível resolver relações vivas. Elas podem ser cultivadas, saboreadas, vividas, mas não resolvidas. Elas prosseguem. Nunca haverá a conversa definitiva com aqueles que a gente ama. Talvez haja a última, mas isso não se sabe.
Este livro traz a história de Hernani, um estudante de medicina que após ser baleado durante um assalto fica paraplégico.

Se você está pensando em se suicidar, deve procurar saber o que acontece com um suicida logo após a morte, correto? Eu não tenho boas notícias para você. O suicida é, sem dúvida nenhuma, o ser que mais sofre após a morte.
Primeiro, você precisa saber que nada se perde neste universo. Ao morrer seu corpo volta para a Terra, e sua mente, sua consciência, seu EU, que chamamos de espírito, não desaparece. Ele continua vivo. O que dá vida a seu corpo é justamente a existência de um espírito que anima a matéria.
Então tentar se matar achando que você será apagado do universo para sempre é uma tolice. O seu corpo realmente vai desaparecer na Terra, mas você continuará existindo.

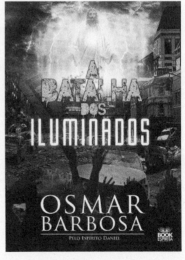

Nós já sabemos que algo está acontecendo em nosso planeta, temos a consciência de que é chegada a hora da transformação planetária tão necessária ao equilíbrio evolutivo da humanidade. Jesus nos alertou por meio da parábola do joio e do trigo, que é chegada a hora desta tão sonhada transformação. Nosso planeta está mudando. Sabemos que muitos de nossos irmãos não terão mais a oportunidade de encarnar entre nós.
Eu convido você, por meio desta obra, a tomar conhecimento de como será o exílio daqueles espíritos que após receberem diversas oportunidades não se alinharam ao amor divino. Saiba como você pode se livrar de ser exilado deste orbe.

Ao longo da história já ocorreram incontáveis situações de desencarne coletivo. Ações da natureza levaram incontáveis pessoas ao desencarne. Na história recente temos presenciado situações de desencarne por outras razões, como naufrágios, acidentes aéreos, incêndios, desabamentos, ocupações de áreas de risco, terremotos, tsunamis, e outras.
É característico do ser pensante refletir sobre sua vida e sua interrupção. E por isso temos nos perguntado sempre: por que ocorrem estas situações? Por que muitas pessoas desencarnam ao mesmo tempo? Para onde vão estes espíritos? Como tudo é organizado nestas grandes catástrofes? E as crianças? Como ficam nesta hora? Podemos reencontrar nossos familiares que já desencarnaram? Por que tantas vidas são ceifadas ao mesmo tempo?

Somos livres. A cada instante, escolhemos pensamentos, decidimos caminhos, revelando o volume das nossas conquistas e das derrotas. Distraídos, alimentamos fantasias, acariciamos ilusões e brigamos por elas, acreditando que representam a nossa felicidade plena. A visita da verdade, oportuna, nos faz reciclar valores, modificar ideias, aprender lições novas, caminhar para frente, conquistando nossa tão sonhada evolução espiritual. Sempre nas mãos do amor divino, onde tudo nos é permitido.
De onde vêm os Exus?
Por que são chamados assim? Quais os desafios que encontraremos após deixarmos a vida física? Por que Exu é tão discriminado? O amor, será que o levamos para a eternidade? Você encontrará respostas para estas perguntas neste livro.

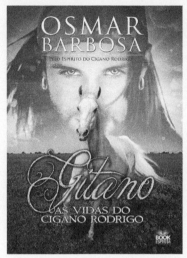

Após perder seu pai e seus melhores amigos ciganos em um massacre cruel, Rodrigo segue em uma jornada desafiadora orientado pelo seu mentor espiritual. Ele viaja para a Capadócia e Alexandria, onde encontros inesperados e perdas irreparáveis o esperam. Que caminhos deve seguir este cigano? Quais os desafios? As perdas? Será que ele conseguirá cumprir a missão determinada por seu mentor espiritual? E o amor? Quem será a cigana que o espera? Será seu destino? Você encontrará as respostas para estas e muitas outras perguntas no livro Gitano – As Vidas do Cigano Rodrigo.

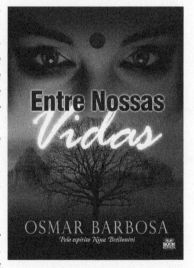

Às vezes, encontramos muitas dificuldades em compreender nossos sentimentos. Apaixonamo-nos por pessoas que saem de nossa vida sem nos dar sequer uma última chance, sem ao menos dizer adeus, e a dor que fica, levamos pelo resto de nossa caminhada terrena. O amor sincero, o amor verdadeiro, a paixão que assola nosso ser, que estremece nosso corpo e atinge nossa alma, que traz secura em nossos lábios. Isso é a dor da alma ferida. As separações e as perdas fazem parte da vida, mas compreender isso quase sempre é impossível. E conviver com essa dor é para poucos. Nas linhas deste livro você vai encontrar respostas para alguns questionamentos que fazemos todos os dias. O amor de Mel e Rabi atravessa linhas inimagináveis. Como se processam os reencontros na vida terrena? Estamos predestinados a viver ao lado de alguma pessoa? Na reencarnação podemos escolher nosso par?

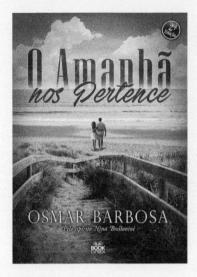

Parei para pesquisar o significado de família...
Família é um grupo de pessoas, que dividem o mesmo gosto pela vida. Que dividem o mesmo sentimento. Que não importa não dividir o mesmo sangue.
Apenas por dividir os mesmos sentimentos... Como tudo isso acontece? Como escolhi meus pais? Meus amigos? Será que eu pude escolher os meus pais? Como os encontros são arquitetados pela espiritualidade? Por que nasci nesta família? Por que meu pai é meu pai e minha mãe é minha mãe? Por que tanta dificuldade em viver com meus familiares? Por que os casamentos se frustram? Será que sou diferente? Será que é uma bênção? Ou será um castigo? Saiba como tudo isso é organizado antes de nossa vida atual.

Todos nós já estamos cansados de saber que o suicídio é um caminho sem volta. Que a alma que comete o suicídio sofre muito e que essa atitude só atrasa a evolução pessoal de cada um. Como reagir à perda de um ser tão importante para nossa vida? Como reagir à morte de um filho, na tenra idade? Será que o Criador está castigando a criatura? Por que morrem nossos filhos? Por que morrem as pessoas que mais amamos de forma tão trágica e dolorosa? Será que Deus pode nos livrar de um suicídio? Neste livro você encontrará respostas para essas e tantas outras questões que envolvem a maternidade e a convivência familiar. E para brindar nossos leitores, no final desta linda história psicografada, você recebe algumas cartinhas de crianças que desencarnaram e se encontram na Colônia Espiritual Amor e Caridade.

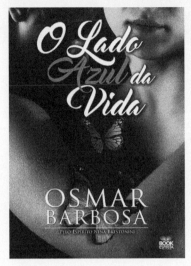

Somos o resultado de nossas escolhas e de nossa coragem, de nossas experiências e aprendizados. Aqueles que têm pouca fé se transformam em alvo fácil dos que buscam escurecer a luz da verdade. Mas aqueles que creem com fervor, esses são assistidos diretamente pelos espíritos mais puros dos universos de luz, por anjos guardiões enviados diretamente por Deus.
Neste livro você vai conhecer o Fernando, que sofre desde menino por ser homoxessual. Sua irmã Raquel tenta a todo custo auxiliá-lo a enfrentar o preconceito, as diferenças e acima de tudo a dificuldade familiar. A escola? A rua? As festas? Por que meninas estão beijando meninas e meninos estão beijando meninos? Como lidar com essas diferenças? Como é ter em casa dois filhos homossexuais?

Existe vida após a morte? Qual é o motivo da vida? De onde viemos? Para onde vamos? Quem sou eu? Por que nasci nesta família, neste continente, neste país? Por que o meu pai é o meu pai, e a minha mãe é a minha mãe? Meus irmãos, quem são? E minha família? Por que eu estou aqui? Por que neste corpo, nesta pele, falando este idioma? Tudo termina com a morte? Deus existe? Ao acompanharmos a trajetória de Nicolas, iremos compreender muitas coisas. Vários porquês serão respondidos neste livro. O mais importante para mim, como escritor que psicografou esta obra, é chamar a atenção de todos os leitores para a necessidade de trazer para dentro de nossa alma a compreensão de que somos ainda aprendizes dessa nova era.

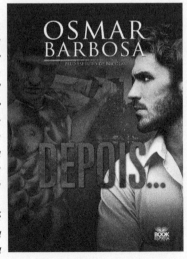

Esta obra foi composta na fonte Times New Roman corpo 13.
Rio de Janeiro, Brasil, inverno de 2017.